Le coaching
d'une équipe de travail

Les Éditions Transcontinental
1100, boul. René-Lévesque Ouest
24ᵉ étage
Montréal (Québec) H3K 2E4
Tél. : (514) 392-9000
    1 800 361-5479

Les Éditions de la Fondation de l'entrepreneurship
160, 76ᵉ Rue Est
Bureau 250
Charlesbourg (Québec) G1H 7H6
Tél. : (418) 646-1994
    1 800 661-2160
Internet : www.entrepreneurship.qc.ca

La collection *Entreprendre* est une initiative conjointe de la Fondation de l'entrepreneurship et des Éditions Transcontinental afin de répondre aux besoins des futurs et des nouveaux entrepreneurs.

Données de catalogage avant publication (Canada)
Muriel Drolet
Le coaching d'une équipe de travail
Collection *Entreprendre*
Publié en collaboration avec la Fondation de l'entrepreneurship
ISBN 2-89472-073-4 (Les Éditions)
ISBN 2-89521-004-7 (La Fondation)
1. Équipes de travail – Gestion. 2. Personnel – Supervision. 3. Personnel – Motivation. 4. Cadres (Personnel). 5. Réunions. I. Fondation de l'entrepreneurship. II. Titre. III. Collection : Entreprendre (Montréal, Québec).

HD66.D76 1999   658.4'02   C99-940668-X

Révision et correction : Louise Dufour, Jacinthe Lesage
Mise en pages et conception graphique de la page couverture : Studio Andrée Robillard

Imprimé au Canada
© Les Éditions Transcontinental inc.
    et Les Éditions de la Fondation de l'entrepreneurship, 1999
Dépôt légal — 2ᵉ trimestre 1999
Bibliothèque nationale du Québec
Bibliothèque nationale du Canada

ISBN 2-89472-073-4 (Les Éditions)
ISBN 2-89521-004-7 (La Fondation)

Les Éditions Transcontinental remercient le ministère du Patrimoine canadien et la Société de développement des entreprises culturelles du Québec d'appuyer leur programme d'édition.

MURIEL DROLET

Le coaching d'une équipe de travail

Les Éditions
TRANSCONTINENTAL inc.

LES ÉDITIONS DE LA FONDATION DE
l'entrepreneurship

Note de l'éditeur

Indépendamment du genre grammatical, les appellations qui s'appliquent à des personnes visent autant les femmes que les hommes. L'emploi du masculin a donc pour seul but de faciliter la lecture de ce livre.

Avant-propos

Q uel gestionnaire refuserait le mandat de coacher une équipe gagnante ? Être le « coach » de l'équipe de hockey qui remporte la coupe Stanley, diriger l'orchestre symphonique le plus reconnu du pays ou amener une entreprise à atteindre et à surpasser tous ses objectifs : voilà le défi et le rêve qui devraient animer tout gestionnaire qui veut porter le nom de « coach ».

Le rôle de coach n'est pas simple et il est important de saisir clairement ce qu'il implique. Ce n'est pas facile d'écouter son personnel, d'animer des réunions d'équipe, de transmettre une information adéquate et de le faire au bon moment, de consulter, de guider et de conseiller ses troupes en vue de décisions efficaces. Néanmoins, le rôle de coach s'apprend, et cet ouvrage a pour but de vous aider à le faire.

Actuellement, les contextes d'affaires changent rapidement. Le marché se complexifie. Les outils de travail évoluent constamment. Quant aux employés, ils sont de plus en plus inquiets en ce qui concerne leur sécurité d'emploi. Mouvement, flexibilité et insécurité sont trois mots qui caractérisent maintenant le monde des affaires.

Dans un tel contexte, il est clair que les modèles de gestion traditionnels ne sont plus efficaces. Toutefois, une question se pose. Faut-il faire table rase des connaissances et des compétences que possèdent déjà les gestionnaires? Faut-il transformer ces gestionnaires en de nouveaux modèles d'administrateurs ou, plutôt, utiliser leurs acquis et leurs connaissances en les adaptant au contexte actuel?

Le succès des entreprises repose inévitablement sur leur capacité de s'adapter au changement. Toutefois, selon nous, le meilleur moyen pour les entreprises de faire face au changement est de reconnaître qu'elles disposent déjà du potentiel pour ce faire: les ressources humaines, c'est-à-dire tous les individus qui composent quotidiennement avec les réalités de l'entreprise dont ils font partie. Le coaching est une méthode qui propose une façon réaliste et pratique d'utiliser le potentiel humain. En effet, grâce à l'implantation d'équipes de travail et à la supervision de ces équipes par un coach, une organisation peut mettre en commun, au quotidien, les forces individuelles de chacun en vue d'un objectif global commun.

Nous souhaitons que ce manuel constitue un réel ressourcement pour vous qui devez composer au quotidien dans le contexte de changement actuel. L'apprentissage que vous retirerez de cet ouvrage sera proportionnel au degré d'intérêt que vous y porterez. Cet investissement fera grandir votre savoir et confirmera l'importance des ressources humaines au sein de votre organisation.

Bonne lecture.

Remerciements

Ce livre est destiné à tous ceux qui ont à cœur d'améliorer la qualité de la gestion des ressources humaines au sein de nos entreprises québécoises.

Je veux ici mentionner et remercier toutes les personnes qui ont collaboré à cet ouvrage :

- Josée Saint-Jacques, Drolet Douville et Associés inc., la Fondation de l'entrepreneurship, avec lesquels j'ai eu de fructueux rapports dans l'élaboration du contenu de ce livre.
- Édith Guay, psychologue industrielle, anciennement de la Direction des ressources humaines du Groupe Pacini, dont l'expérience et les précieux conseils ont contribué à la qualité de ce document.
- Sylvain Bédard, des Éditions Transcontinental, pour la confiance avec laquelle il a accepté ce manuscrit.
- Stéphanie Tremblay pour sa créativité et ses multiples conseils afin que ce livre soit agréable à lire.

- Diane Clavet, ma collaboratrice dévouée de tous les jours, pour sa patience et sa compétence dans la correction et l'amélioration des textes.

- Mes filles, Marie-Josée et Nathalie, pour leur tolérance et l'intérêt soutenu qu'elles ont manifesté en m'écoutant parler de cet ouvrage depuis deux ans.

- Pierre A. Douville, mon fidèle associé dans la vie professionnelle et personnelle, dont le soutien et l'encouragement ont directement mené à la réalisation de ce projet.

- Nos précieux clients qui ont cru en nous et dont l'expérience et l'engagement ont enrichi le contenu de ce livre.

Je vous adresse à tous un merci des plus sincères et je partage avec vous le succès de ce livre.

Muriel Drolet
consultante et formatrice

TABLE DES MATIÈRES

LISTE DES TABLEAUX ET DES QUESTIONNAIRES

QUESTIONNAIRES

LES GRANDES LIGNES DE CET OUVRAGE

Le premier chapitre présente l'approche du coaching dans un contexte de changements culturels, économiques et sociaux. Il démontre l'importance, pour les gestionnaires d'aujourd'hui, d'apprendre à adapter leurs compétences et leurs connaissances aux nouvelles réalités du monde des affaires.

Le deuxième chapitre approfondit ce qu'est le coaching d'une équipe de travail en démontrant que la responsabilisation, la motivation et la formation des travailleurs sont les meilleurs moyens pour une organisation de gérer le changement.

Le chapitre 3 présente le modèle d'un bon coach en élaborant sur ses rôles et sur ses fonctions. Il fournit des outils d'autodiagnostic qui vous aideront à vous évaluer et à déterminer les aptitudes que vous devez acquérir ou rechercher pour être un bon coach.

Le chapitre 4 offre des outils qui vous permettront de définir les compétences d'un coach efficace, de sorte que vous soyez en mesure de choisir un bon coach ou d'en devenir un. Nous vous proposons un modèle de compétence, une grille d'évaluation et un plan de formation pour vous aider à conclure votre projet.

Un coach ne peut exister sans son équipe. Le chapitre 5 est consacré à la définition et à la raison d'être des équipes de travail. Vous y verrez les différentes étapes de l'évolution d'une équipe, accompagnées de grilles de travail et de façons de faire menant à des solutions pour rendre le rendement des équipes à son maximum.

Le dernier chapitre précise les éléments essentiels à l'efficacité de la réunion d'équipe.

FONDATION DE
l'entrepreneurship

La Fondation de l'entrepreneurship œuvre au développement économique et social en préconisant la multiplication d'entreprises capables de créer l'emploi et de favoriser la richesse collective.

Elle cherche à dépister les personnes douées pour entreprendre et encourage les entrepreneurs à progresser en facilitant leur formation par la production d'ouvrages, la tenue de colloques ou de concours.

Son action s'étend à toutes les sphères de la société de façon à promouvoir un environnement favorable à la création et à l'expansion des entreprises.

La Fondation peut s'acquitter de sa mission grâce à l'expertise et au soutien financier de quelques organismes. Elle rend un hommage particulier à ses trois partenaires :

et remercie ses gouverneurs :

Ville de Montréal

Introduction

Rendons-nous à l'évidence : le changement est devenu constant et la gestion de ce changement est une réalité que nous devons vivre au quotidien. Prendre des mesures une fois par année, une fois par mois ou une fois par semaine ne suffit plus ! Désormais, les gestionnaires doivent faire face au changement chaque jour, et ce, avec toutes les difficultés et les défis que cela comporte.

Le coffre d'outils du coach

Pour vivre et gérer le changement au quotidien, un coach doit être bien équipé. Cet ouvrage est un « coffre d'outils » qui vous aidera à bien planifier, à bien gérer et à bien vivre le rôle de coach. Vous y trouverez des stratégies concrètes, réalistes et, surtout, applicables au quotidien par des gens d'affaires comme vous. En outre, ce livre peut vous accompagner au fur et à mesure que vous et votre équipe évoluez dans votre démarche, puisque vous pouvez refaire régulièrement les nombreux exercices qu'il contient.

Quel est votre choix : gérer le changement ou gérer la résistance ?

Les dernières années furent importantes pour découvrir les bases et les fondements qui permettent de mieux orienter les façons de travailler dans l'avenir. En effet :

• la vie comporte une multitude de changements à expérimenter ;

• tout changement produit une résistance ;

• l'expérience enseigne à gérer ces résistances.

Nous apprenons à gérer la vie. En bout de ligne, tout gestionnaire se heurte au choix suivant : gérer le changement ou gérer la résistance. Que représente ce choix lorsqu'on l'applique à la gestion des ressources humaines ?

Choisir de gérer le changement signifie que vous devez réviser vos façons de faire. Cette démarche devrait vous assurer que vos stratégies de gestion des ressources humaines sont adaptées et adaptables aux besoins actuels et aux besoins futurs de vos employés. L'ère de l'information et de la connaissance donne l'extraordinaire occasion d'envisager la gestion du **potentiel humain**. Le coaching représente, sous cet aspect, une stratégie de gestion des personnes parfaitement adaptée à cette réalité. Choisissez-vous de gérer le changement ou de gérer la résistance ? Vous choisissez le changement ? Bienvenue à bord de la grande aventure du coaching !

Comment utiliser les questionnaires

Votre lecture vous mènera à utiliser les nombreux questionnaires que nous vous proposons dans cet ouvrage. Spécialement conçus pour vous, ils peuvent servir, d'une part, à vérifier la pertinence de vos façons de faire et, d'autre part, à élaborer des plans d'action qui répondent à vos besoins actuels. Par exemple, vous pouvez mesurer vos progrès et vérifier les améliorations que vous avez faites en reprenant le même questionnaire tous les six mois. Également, vous pouvez utiliser les questionnaires pour alimenter des discussions avec vos collègues sur ce que doit être ou ne pas être un bon coach dans votre entreprise. Les questionnaires peuvent aussi servir à l'élaboration de votre plan d'action personnel comme coach d'une équipe de travail.

Comment interpréter les résultats

Avec beaucoup de prudence et sans panique ! Ces tests se basent sur la perception que vous avez d'une situation donnée à un moment donné. Les questions servent d'indicateurs destinés à vous améliorer, à faire progresser votre démarche et à vous aider dans l'élaboration de plans d'action adaptés à votre situation organisationnelle.

Ne portez pas de jugement sur vos aptitudes et considérez les résultats comme une lecture ponctuelle de votre situation actuelle. Ce faisant, vous vous donnez la possibilité et la capacité de changer votre situation, si besoin est. À vous de décider et de vous donner les moyens pour atteindre vos buts par la suite. Ce livre vous fournira de bons indices pour le faire.

Questionnaire
1

Êtes-vous certain que le coaching est une bonne approche pour votre entreprise ?

15 questions révélatrices pour trouver la réponse

Il est possible que vous ignoriez totalement ce qu'est le coaching d'une équipe de travail. Il est possible aussi que vous en ayez entendu parler vaguement ou, encore, que vous ayez été intéressé au sujet par un conférencier, un professeur ou un collègue spécialiste de cette méthode. Avant d'entrer dans le vif du sujet, nous vous proposons un test qui permet de vérifier la pertinence d'implanter un programme de coaching dans votre organisation.

		Oui	Non
1.	Votre organisation reconnaît-elle davantage l'importance des résultats d'équipe que celle des résultats individuels ?	( )	( )
2.	Voyez-vous des avantages pour votre organisation à mettre sur pied le soutien, l'entraide et la collaboration entre les travailleurs ?	( )	( )
3.	Recherchez-vous un style de gestion authentique et transparent pour votre personnel ?	( )	( )
4.	Ressentez-vous le besoin dans votre organisation d'améliorer la qualité de la gestion de vos ressources humaines ?	( )	( )

	Oui	Non
5. Vos employés expriment-ils leur intérêt à être davantage responsabilisés dans l'exécution de leur tâche et dans l'atteinte des résultats?	( )	( )
6. Souhaitez-vous favoriser l'engagement et la responsabilisation de votre personnel envers l'organisation?	( )	( )
7. La volonté d'améliorer le potentiel de votre personnel fait-elle partie des valeurs de votre organisation?	( )	( )
8. La structure de votre organisation regroupe-t-elle déjà les travailleurs en équipe (ex.: unité, service, division ou secteur)?	( )	( )
9. Vos gestionnaires utilisent-ils davantage la mobilisation du personnel que l'exercice de l'autorité?	( )	( )
10. Pensez-vous avoir de bons coachs au sein de votre organisation?	( )	( )
11. Votre organisation a-t-elle réduit de façon importante le nombre de ses gestionnaires par rapport au nombre d'employés réguliers au cours des dernières années?	( )	( )
12. Votre entreprise est-elle en expansion actuellement?	( )	( )
13. Êtes-vous dans un domaine très compétitif?	( )	( )
14. Si vos employés sont syndiqués, proposent-ils la mise en place d'une structure d'équipe autonome ou semi-autonome?	( )	( )
15. Votre entreprise favorise-t-elle le partenariat entre l'ensemble de ses services?	( )	( )

Interprétation

Vous avez répondu **oui** à au moins cinq de ces questions? Cela indique que votre entreprise bénéficierait de l'implantation d'un programme de coaching.

Si, à la suite de ce petit test, vous croyez que le coaching n'est pas pour vous, nous vous invitons tout de même à poursuivre votre lecture. Nous sommes convaincus que vous découvrirez, dans les chapitres qui suivent, des éléments qui susciteront votre intérêt et qui vous amèneront à la conclusion que le coaching peut être un outil intéressant pour l'atteinte de vos objectifs d'entreprise.

Chapitre 1

D'hier à demain

Ce n'est pas tout ce que les gens ignorent qui cause problème ;
c'est tout ce qu'ils savent et qui n'est pas vrai.
Mark Twain

T oute entreprise qui veut s'adapter aux réalités économiques et sociales actuelles doit repenser ses façons de faire. Cette exigence est de première importance pour qui veut maintenir son degré de qualité, sa compétitivité et sa place sur un marché devenu mondial. Autrefois, le travailleur désirait un emploi stable et à long terme. Aujourd'hui, il recherche un projet mobilisateur qui lui permet d'être créateur et autonome, et pour lequel l'entreprise lui garantit une formation et un salaire compétitif.

Dans cette perspective, la méthode de coaching d'une équipe de travail est un excellent moyen pour soutenir et accompagner la transition du personnel vers de nouvelles façons d'accomplir son travail au quotidien.

1.1 Apprendre à faire différemment

Faire différemment ne signifie pas que l'on doive faire plus avec moins. Malheureusement, nombre de gens pensent que c'est le cas.

Apprendre rapidement et vivre harmonieusement les transitions sont des qualités que le travailleur doit acquérir pour « apprendre à faire différemment ». Le coach a pour rôle de faciliter les changements qui permettront à chaque travailleur de prendre de plus larges responsabilités dans un contexte de travail en équipe. Concrètement, cela veut dire que l'entreprise doit envisager la réorganisation interne. Le point de vue initial de cette réorganisation consiste en la mise en place d'une structure interne moins hiérarchisée et dont le fonctionnement nécessite la participation de chaque employé au sein de son équipe de travail. Chaque personne devient responsable de l'atteinte de ses résultats et du respect des normes de qualité établies.

L'équipe de travail, guidée par le coach, est dotée d'une part d'autorité (ou de pouvoir) qui lui permet de décider de la manière d'accomplir sa tâche et d'atteindre les résultats qui lui sont spécifiquement demandés par le plan stratégique de l'organisation. Le degré d'autorité ou de pouvoir que reçoit l'équipe détermine son degré d'autonomie au sein de l'entreprise. L'équipe est-elle semi-autonome ou entièrement autogérée ? Tout dépend du degré d'autorité ou de pouvoir qui lui est concédé.

Une phase de transition doit être prévue dans votre entreprise pour permettre aux individus de saisir adéquatement ce qu'impliquent ces changements dans leurs activités quotidiennes. La période de transition est également essentielle pour rectifier les fausses perceptions quant aux processus d'amélioration envisagés. Les employés doivent apprendre à gérer la nouvelle part d'autorité et de responsabilité qui leur est donnée. Le coach, dont la raison d'être principale est de gérer le changement que doit vivre une équipe dans sa pratique quotidienne, doit donner à celle-ci le temps nécessaire pour s'adapter.

1.1.1 Une transition, ça se planifie !

La phase de transition débute par l'élaboration d'un plan qui stipule pas à pas la démarche de l'organisation vers l'amélioration des façons de faire des travailleurs. Ce plan doit comporter les éléments suivants :

- dès le départ, la définition claire des enjeux du changement ;

- une stratégie d'intervention orientée sur la rectification des fausses perceptions entretenues parmi les travailleurs ;

- la description des tâches et des compétences reliées aux aptitudes requises pour faire face au changement ;

- un programme de formation conçu pour faciliter la création des nouvelles aptitudes souhaitées ;

- la mise en place d'activités ou d'outils permettant la pratique simulée et le renforcement des nouvelles aptitudes visées ;

- une stratégie d'appréciation et de suivi respectant les besoins de soutien et d'encouragement nécessaires au moment de l'implantation des nouvelles façons de faire ;

- un coach capable de motiver son équipe pour qu'elle comprenne les changements apportés et qu'elle mette en œuvre les nouvelles façons de faire.

1.1.2 Faire différemment, ça s'apprend

L'information doit circuler, être diffusée et comprise par tous les membres de l'équipe. L'information permet aux membres de l'équipe de s'orienter. Pour sa part, le coach aura à guider son équipe et à faire en sorte qu'elle soit adéquatement formée et capable de s'organiser pour atteindre les résultats prévus, c'est-à-dire faire différemment.

Faire les choses différemment signifie :

- prendre un temps d'arrêt, observer et analyser les façons habituelles de faire les choses ;

- analyser comment la façon de faire peut être améliorée de sorte que l'équipe donne un meilleur rendement et, si possible, des résultats accrus ;

- vérifier la pertinence de cette nouvelle façon de faire avec les personnes engagées dans le changement ;

- informer et former l'ensemble des personnes touchées par cette nouvelle façon de faire ;

- se donner un temps de réflexion menant à l'implantation des nouvelles aptitudes ;

- reconnaître les résultats obtenus et les évaluer par rapport aux buts visés ;

- instituer la nouvelle façon de faire en tant que norme correspondant aux indices d'amélioration souhaités.

1.2   L'implantation d'un programme de coaching

La **culture** de votre organisation est l'un des éléments essentiels qu'il vous faut analyser avant de vous avancer dans l'implantation du coaching.

La culture d'entreprise est l'ensemble des traits distinctifs
et des structures qui caractérisent une entreprise
et qui orientent ses décisions.

- Quelle est la culture de votre entreprise ?

- Vos gestionnaires ont-ils l'habitude de faire confiance à leur personnel ?

- Êtes-vous à l'aise avec le concept d'équipe de travail autonome ?

- Avez-vous évalué les effets éventuels du travail en équipe ?

- Y croyez-vous vraiment en tant qu'organisation ?

L'examen de certaines caractéristiques chez vos employés vous aidera à déterminer le degré d'autonomie que vous pouvez donner à vos équipes et à établir les qualités requises par vos coachs pour les accompagner.

- Est-ce que ce sont d'anciens employés peu habitués à communiquer entre eux ?

- Ont-ils déjà travaillé en équipe de façon informelle ?

- Ont-ils demandé de former des équipes de travail ?

- Sont-ils obligés de fonctionner en équipe de travail ?

- Ont-ils le goût de former des équipes de travail ?

Les réponses à ces questions vous indiqueront les résistances possibles et le contexte dans lequel le programme de coaching devra se réaliser. Également, le modèle d'organisation du travail de votre entreprise déterminera jusqu'où vous pouvez aller dans votre démarche. En effet, si les caractéristiques de l'organisation du travail sont telles qu'il est physiquement impossible d'implanter des équipes de travail, le coaching n'est pas pour vous.

Par exemple, une entreprise de télémarketing aura de la difficulé à implanter le travail en équipe si tous les employés travaillent à domicile. Il sera également ardu d'instaurer le coaching dans une entreprise où les travailleurs n'ont jamais été réunis pour discuter de leurs façons de faire et où on ne les a jamais informés des attentes ou de la vision de l'entreprise. Dans ce contexte, les travailleurs peuvent ne ressentir aucun intérêt pour cette méthode, et le temps nécessaire à amorcer le changement sera très coûteux pour l'entreprise.

Le **style de gestion** est également un élément environnemental important à considérer. Par exemple, une organisation de type autocratique, où le directeur général décide de tout, aura plus de chemin à parcourir qu'une entreprise moderne qui est gérée par projet. Dans tous les cas, il faut procéder à une analyse détaillée de la situation avant de se doter de l'outil de gestion qu'est le coaching. Donnez-vous le temps d'analyser adéquatement votre situation.

Le tableau suivant présente les éléments avec lesquels vous aurez à conjuguer. Ce tableau est « systémique », étant donné que l'intégration du coaching dans une entreprise engage nécessairement l'ensemble de l'entreprise (tout le système).

Tableau 1.1

Le coaching : un système ouvert

Environnement externe			Environnement interne	
• Conditions du marché • Concurrents	**Intrants** (Ce que fournit l'organisation) • Mission • Valeurs d'entreprise • Culture organisationnelle • Plan stratégique • Style de gestion • Objectifs • Cycles de production • Volonté	**PROCESSUS** **Implantation du programme de coaching**	**Extrants** (Ce que donne l'approche en coaching) • Climat de travail participatif • Coachs efficaces et acceptés • Autonomie et responsabilisation • Résultats accrus • Collaboration • Innovation • Performance d'équipe	

Réaction des résultats sur l'organisation

L'implantation du coaching dans une organisation est un processus très dynamique. De nombreux facteurs influent sur ce processus. Il n'existe pas d'indices précis pour déterminer, à l'avance, les résultats et le temps requis pour l'implantation d'un programme de coaching. Les résultats dépendent d'une foule de facteurs et ce sont ces derniers qui doivent être analysés individuellement. Les questions suivantes vous aideront à définir les éléments nécessaires à votre démarche.

1.2.1 Les éléments organisationnels à considérer

- La culture de l'entreprise et son historique sont-ils favorables au coaching ?

- La mission et la vision des gestionnaires de l'entreprise sont-elles clairement définies ?

- L'entreprise est-elle structurée de façon à permettre le coaching ?

- Le plan d'action pour la réalisation du projet est-il adapté aux travailleurs et connu par eux ?

- Les outils d'information de l'organisation sont-ils pratiques et fonctionnels par rapport aux besoins des équipes ?

- Le degré d'autonomie souhaité des équipes est-il bien précisé ?

- Les ressources internes sont-elles adéquates pour soutenir les équipes ?

- Les buts et les résultats à atteindre sont-ils clairement définis et mesurables ?

- Les indices de rendement et de résultats à atteindre sont-ils réalistes ?

- Le profil des compétences requises du coach est-il précisé ?

- Les compétences des travailleurs sont-elles répertoriées ?

- La description des tâches des travailleurs est-elle adaptée au fonctionnement d'une équipe de travail ?

- La convention collective est-elle fonctionnelle pour le travail de l'équipe ?

- L'échéancier et un calendrier précis du projet sont-ils connus et réalistes ?

- Les méthodes de suivi des projets sont-elles existantes et sont-elles efficaces ?

- Les processus d'appréciation de l'efficacité du coach et des membres de l'équipe sont-ils connus et utilisables ?

1.2.2 Les étapes de l'implantation du programme

Les étapes que nous proposons pour implanter un programme de coaching dans votre entreprise sont des guides et non une recette. Vous devrez adapter ces pistes d'action à la situation de votre propre entreprise. Il est possible que chacune des étapes soit déjà engagée à un certain point dans votre entreprise. L'implantation d'un programme de coaching nécessitera donc un investissement en énergie et en temps plus ou moins important. Pour réussir, veillez à vous donner une bonne marge de manœuvre en ce qui concerne le temps, c'est-à-dire de un à trois ans. Voyons maintenant les étapes à franchir :

1. L'établissement des secteurs où implanter le travail en équipe

2. La désignation des coachs potentiels dans votre entreprise

3. La formation des équipes pilotes

4. La transmission des objectifs et des résultats fixés par l'organisation

5. Le démarrage des équipes pilotes

6. La mise en place des règles de fonctionnement d'une équipe

7. L'évaluation des résultats préliminaires des équipes pilotes

8. La vérification et les correctifs à apporter, s'il y a lieu

9. Le démarrage des autres équipes (étapes 5 à 9)

10. L'évaluation de l'ensemble des équipes

11. Les corrections mineures restantes, s'il y a lieu

12. Le suivi et l'évaluation des étapes qui précèdent

Il vous faut également vous demander si vous disposez, à l'interne, d'une personne compétente pour vous accompagner ou si vous avez besoin du soutien et des services d'un consultant spécialisé dans l'implantation des programmes de coaching.

1.2.3   Comment choisir un consultant ?

Dans certains cas, la collaboration avec un consultant peut s'avérer une décision judicieuse. Cette personne devra posséder :

- une expérience dans l'implantation des programmes de coaching ;

- la compréhension de votre culture et une vision juste de ce que vous désirez obtenir (c'est votre modèle et non le sien) ;

- des outils solides et variés afin de satisfaire aux exigences de chacune des étapes d'intervention nécessaires à l'implantation du programme ;

- la disponibilité correspondant à vos besoins ;

- le tempérament qui lui permettra de composer avec la complexité des changements envisagés par l'entreprise.

Le coaching

2.1   Qu'est-ce que le coaching d'équipe ?

Selon Dennis C. Kinlaw, auteur du best-seller *Adieu patron ! Bonjour coach !*, le coaching est « le leadership en face à face. Chaque conversation entre un leader et son collaborateur est potentiellement une conversation de coaching. C'est l'occasion de clarifier des objectifs, des priorités et des normes de performance. C'est l'occasion de réaffirmer et de renforcer les valeurs fondamentales du groupe. C'est l'occasion d'entendre des idées et d'engager ses collaborateurs dans la planification et la résolution de problèmes. Par-dessus tout, c'est l'occasion de dire merci. »

Quant à lui, le coaching d'équipe est avant tout une méthode qui permet aux membres d'une équipe de travail « d'apprendre ensemble » avec l'aide d'un chef d'équipe communément appelé « coach ». Cette façon de travailler met en valeur le sens des responsabilités ainsi que l'esprit d'initiative des employés. Le coaching est une approche qui préconise la formation et la responsabilisation des ressources humaines. Cette méthode d'évolution continue du personnel s'adresse tout particulièrement aux entreprises et aux organisations qui ont des équipes de travail ou qui désirent mettre en place un nouveau système de travail en équipe.

- Avez-vous des équipes dans votre entreprise ?

- Aimeriez-vous travailler plus souvent et plus efficacement en équipe ?

Parmi votre équipe de gestionnaires, vous reconnaîtrez un coach de talent à ses attitudes et à ses façons de faire au travail plutôt qu'à ses connaissances. L'adéquation entre ce que le coach fait et ce qu'il dit est l'une des qualités les plus importantes pour garantir le coaching efficace de vos équipes de travail.

Guider, diriger, avertir, conseiller, corriger, entraîner, faciliter, évaluer et superviser sont des termes qui font partie des actions quotidiennes du coach. Le gestionnaire de nouvelles organisations sait reconnaître et mettre en valeur les talents des membres de son équipe. Il sait mobiliser ses troupes en utilisant les forces individuelles de chacun. En favorisant l'émergence du « cerveau collectif » de son équipe, il garde efficacement le cap vers l'atteinte des objectifs et des résultats visés.

Le coach est un mobilisateur naturel ; il réussit à créer un univers de travail stimulant et efficace en regroupant, au sein d'une même équipe, des individus différents, voire opposés. Loin de considérer la différence comme une contrainte, il relève le défi de faire travailler efficacement toute son équipe vers l'atteinte d'un objectif commun et collectif.

Il est extrêmement enrichissant, pour une organisation, d'utiliser le « cerveau collectif ». En effet, lorsque 15 personnes travaillent à la résolution d'un problème, les solutions fusent. Le talent et l'expérience de chacun permettent d'observer les problèmes sous un angle différent. Ainsi, un tel « cerveau collectif » devient plus intelligent et plus créatif qu'une personne — aussi brillante soit-elle — qui travaille seule, au-dessus de « cerveaux moyens » qui ne font qu'exécuter.

Si vous êtes d'accord avec ce point de vue, pensez coaching.

Si vous pensez rendement à long terme, pensez coaching !

Les questions suivantes vous aideront à confirmer votre choix :

- Envisagez-vous de favoriser davantage le travail en équipe dans votre organisation ?

- Avez-vous besoin d'une bonne stratégie de gestion du personnel qui mette davantage en valeur tous les talents de vos ressources humaines ?

- Aimeriez-vous mesurer, par le biais de résultats concrets, l'efficacité de vos stratégies de gestion du personnel ?

Le coaching a certainement sa place au sein de votre organisation si vous avez répondu « oui » à l'une ou l'autre de ces questions. Implanter le coaching dans votre organisation, c'est vous donner des outils concrets pour gérer les ressources humaines et engager les travailleurs vers l'atteinte des résultats prévus. Par le soutien et l'engagement qu'il suscite, le coaching permet à une équipe d'acquérir de nouvelles connaissances et de créer de nouvelles compétences. De plus, en raison de la responsabilisation et de la communication que permet le coaching, celui-ci contribue avantageusement à former et à préparer la relève.

2.1.1 Les avantages de la mobilisation de la main-d'œuvre

La mobilisation de la main-d'œuvre permet de créer des lieux où pourront interagir des agents de changement. Pour faciliter la transition du rôle de simple employé à celui d'agent de changement, et ce, peu importe les activités du travailleur dans l'entreprise, les organisations ont besoin d'individus dont la formation et les aptitudes les rendent capables de coacher les troupes. Les coachs sont les catalyseurs du changement.

Sur le plan du quotidien, le coaching est le moyen de diriger et d'accompagner les ressources humaines (les agents de changement) dans les changements amorcés ou à venir. Pour ce faire, le coach doit, d'une part, connaître parfaitement la vision et les enjeux de l'organisation dont il fait partie et, d'autre part, communiquer cette vision à son équipe. Ainsi, le coach élabore des politiques, des stratégies globales et des objectifs en lien avec la vision de l'organisation. Puis il communique l'information à tous les membres de l'équipe et indique à ceux-ci les orientations pertinentes que tous devront prendre. Le coach doit insuffler à son équipe la raison d'être de l'organisation. En outre, à l'inverse, le coach doit être le miroir de son équipe et faire connaître à la direction la position de l'équipe par rapport aux objectifs d'ensemble. En agissant de la sorte, le coach aide son équipe à garder le cap sur les objectifs à atteindre, selon la vision d'avenir de l'organisation.

2.1.2 L'acquisition de nouvelles compétences en milieu de travail

De plus en plus, le marché du travail devient un lieu d'apprentissage, à savoir un lieu d'acquisition de connaissances et de nouvelles compétences. Le coaching s'inscrit bien dans cette tendance. En d'autres mots, tous les membres de l'équipe doivent « apprendre à apprendre ensemble ». Chaque individu doit se considérer comme étant en apprentissage continu. Dans cette optique, le coach accompagne les ressources humaines dans cette nouvelle façon de considérer leur apprentissage. Pour devenir un agent de changement au sein de son organisation, l'apprentissage doit être perçu comme une activité que l'on fait tout au long de la vie et non plus comme une activité réservée au milieu scolaire.

2.1.3   La création d'un climat favorable à l'apprentissage

L'apprentissage nécessite un bon climat et des conditions favorables. Pour le coach, le défi consiste à créer un environnement stimulant qui alimente l'esprit d'équipe et l'apprentissage de nouvelles aptitudes chez tous les membres de l'équipe. Créez un climat positif et mobilisant, où les erreurs sont permises, et vous verrez apparaître des comportements de coopération et de collaboration entre les membres de vos équipes de travail.

Un bon coach est de ceux qui osent poser des questions et innover dans la recherche de solutions. Les conflits et les erreurs de parcours ne lui font pas peur. Au contraire, il considère que ces contraintes suscitent l'enthousiasme parmi les membres de l'équipe, car elles sont une nouvelle occasion « d'apprendre ensemble ». Une telle attitude motive les gens et les incite à s'exprimer comme ils sont. Mobilisez vos troupes !

Un coach qui a su trouver l'équilibre en ce qui concerne la participation de chacun au sein de son équipe n'a pas à superviser les gens ; au contraire, il peut partager avec ses membres la tâche de superviser le plan d'action et l'évaluation des résultats.

Les interactions que permet le coaching sont sources de progrès pour le travailleur. Par exemple, autrefois, chez Partagec, une buanderie spécialisée dans le service aux hôpitaux de la région de Québec, les contremaîtres étaient les seuls à intervenir en cas de bris d'un appareil. Pendant ce temps, les employés, passifs, attendaient que les réparations soient effectuées. L'entreprise est aujourd'hui organisée en équipes de travail. Le coach élabore des stratégies préventives avec ses équipiers et, lorsque survient un bris imprévu, les travailleurs vérifient eux-mêmes certains éléments de fonctionnement avant de faire appel au service d'entretien technique. Cela permet aux employés de prévenir et de résoudre seuls les problèmes qui sont susceptibles de survenir.

2.1.4 L'outil qualité ISO et le coaching

Les normes ISO sont de puissants outils d'assurance-qualité mis à la disposition des organisations. Ces normes ont été créées pour aider les entreprises, mais elles ne sont pas une fin en soi. Les résultats s'obtiennent grâce à l'utilisation adéquate de l'outil par les travailleurs et ne sont pas dus à l'outil lui-même. Ce sont les travailleurs qui produisent la qualité. Un bon coaching permet d'assurer le maintien de la bonne utilisation des normes et incite les travailleurs à être constants et minutieux dans l'application des normes.

2.1.5 Intégrer le coaching dans vos stratégies, c'est aussi intégrer le changement !

Inévitablement, l'implantation d'un programme de coaching implique des changements dans l'organisation. Nous verrons que ces changements surviennent dans trois domaines principaux. Le coaching changera la culture organisationnelle de l'entreprise, la gestion des ressources humaines et, naturellement, les travailleurs.

Une culture qui change... pour le mieux !

Le fait de favoriser la reconnaissance de l'autonomie et d'accorder un pouvoir de décision à chacune des équipes de travail constitue un changement qui influe beaucoup sur la culture organisationnelle. Pour que les équipes donnent des résultats et exploitent tout leur potentiel, il est essentiel que les structures de l'organisation s'adaptent à ces changements. Vous devrez mettre en place des moyens pour que l'information circule efficacement au sein de l'entreprise et entre les équipes. Il vous faudra également faire en sorte que chaque équipe saisisse clairement les objectifs à atteindre. Pensez aussi à l'embauche : assurez-vous que les candidats potentiels possèdent les capacités de travailler en équipe. Pour certaines organisations habituées à sélectionner leur personnel en se fondant sur leurs seules expériences techniques, il s'agit d'un important changement de culture !

La gestion des ressources humaines change !

Grâce au coaching, les équipes de travailleurs ont beaucoup plus d'autonomie et de pouvoir décisionnel. Le gestionnaire doit concevoir son rôle différemment, car ses moyens de gestion traditionnels ne sont pas tous adaptables à un contexte de travail en équipe. Le gestionnaire devenu coach doit, entre autres actions, modifier ses stratégies d'approche et de communication auprès de ses travailleurs.

L'écoute active, les questions ouvertes (celles qui n'appellent pas simplement un « oui » ou un « non »), l'accompagnement et le soutien sont des stratégies que le coach doit s'approprier et appliquer quotidiennement. Il doit être convaincu que cette nouvelle façon de travailler contribue à améliorer les compétences des gens à long terme et, par la même occasion, la capacité des travailleurs à s'autogérer.

> L'écoute active, c'est savoir écouter de telle façon que la personne qui vous parle ne se décharge pas du problème sur vous. Bien au contraire, à la suite de votre écoute, une personne devrait avoir une meilleure idée du problème et le goût de passer à l'action pour le solutionner.
>
> L'objectif de l'écoute active : faciliter l'appropriation du problème, de la solution et de l'action par l'interlocuteur, en reformulant ce que l'on comprend du problème et en synthétisant son analyse de la situation.
>
> « J'écoute lorsque je suis centré sur l'autre. Lorsque je cherche à comprendre ce que l'autre personne me communique sur ses pensées, sa vision des choses, ses sentiments, ses intentions, ses croyances et que je les reformule pour être certain d'avoir bien saisi et pour aider l'autre à mieux se comprendre, je fais de l'écoute active. »
>
> **Pierre-Marc Meunier**
> *100 % tonus*

Comparons la gestion traditionnelle à la gestion par coaching à l'aide d'un exemple. Dans une entreprise où le système est encore hiérarchisé, le contremaître qui voit un assembleur se tromper de pièce au montage crie habituellement : « Arrête, pas comme ça ! » La même personne devenue coach comprend l'importance d'intervenir calmement pour montrer à l'assembleur la méthode qui permettra d'éviter, à l'avenir, le même genre d'erreur. La façon de s'adresser à l'assembleur change aussi. Le coach n'hésite pas à poser des questions à son coéquipier pour comprendre les raisons qui ont suscité son erreur. Ainsi, ensemble, ils peuvent résoudre le problème et l'assembleur, fautif au début, sait dorénavant qu'il peut être une ressource pour les autres si le même problème survient.

Dans un grand magasin, si le responsable du service à la clientèle travaille en étroite collaboration avec les caissières et avec les techniciens comptables, tout le monde comprend qu'un client insatisfait qui rapporte un produit veut être remboursé rapidement. Par contre, lorsque les caissières, qui sont souvent le premier contact entre le client insatisfait et le service à la clientèle, ne donnent pas adéquatement les renseignements ou lorsqu'elles sont impolies, le responsable du service à la clientèle doit gérer deux problèmes : le retour de la marchandise et la mauvaise humeur du client. Si tous ces gens travaillent en équipe, ils sont en mesure d'accélérer le processus de façon que le client reçoive son chèque dans les délais les plus rapides tout en étant servi par des gens souriants, polis et efficaces. Lorsqu'un employé comprend le travail des autres, il se sent plus responsable.

Les travailleurs changent grâce au coaching et cela implique que l'organisation adapte régulièrement sa grille d'évaluation du rendement et des résultats. Le coaching se situe davantage dans une perspective de **mobilisation** de la main-d'œuvre que dans une perspective de gestion de la main-d'œuvre... d'où son avantage.

2.2   De la gestion traditionnelle au coaching

Malheureusement, pour beaucoup d'entreprises, le coaching d'une équipe de travail est considéré comme une mode. Pourtant, l'enthousiasme actuel que provoquent les équipes semi-autonomes et auto-gérées au sein de certaines organisations démontre que cette façon de travailler est beaucoup plus qu'une mode. Nous croyons que le coaching est une technique de gestion qui propose des solutions contemporaines à des problèmes actuels.

Passer :

- de la concurrence ——➤ à la coopération
- de la stabilité ——➤ à la mouvance
- de l'autorité ——➤ à l'accompagnement
- de l'individualisme ——➤ au partenariat
- de dire ——➤ à écouter
- de juger ——➤ à aider
- du modèle ——➤ à la recherche de solution originale
- de la discipline ——➤ à la responsabilisation
- du conservatisme ——➤ à l'innovation
- de l'évaluation ——➤ à l'appréciation
- de la résistance ——➤ à la stratégie d'action
- de la gestion des ressources humaines ——➤ à la gestion du potentiel humain
- de la gestion de la personne ——➤ à la gestion du rendement
- de la gestion traditionnelle ——➤ à la gestion du changement perpétuel

Ces mouvements expliquent l'importance du rôle du coach comme agent de changement au sein des entreprises. Voyons comment se traduisent ces changements de façon plus concrète.

2.2.1 Laisser de côté la compétition pour apprivoiser la coopération

Pour mettre en valeur la compétence des individus et des organisations, nombre d'entreprises entretiennent la rivalité et la compétition entre les divisions et parfois entre les individus d'une même division. Le coaching des équipes de travail suggère de créer un climat où les travailleurs sont invités à participer à un but commun et où l'entreprise établit de nouveaux partenariats et de nouvelles alliances. Par exemple, l'équipe des ventes travaille avec l'équipe du crédit afin de définir ensemble le risque, le service et le suivi auprès du client.

2.2.2 Passer de la stabilité à la mouvance

D'un contexte où les actions visaient essentiellement à maintenir la stabilité de l'organisation, on passe à un climat où les organisations sont sujettes à de fortes turbulences et même à disparaître. Ce nouvel environnement se traduit par une recherche constante de façons de faire les choses différemment. Créativité, flexibilité et ouverture d'esprit sont de mise !

2.2.3 Passer de l'autorité à l'accompagnement

D'un contexte où les gestionnaires maîtrisaient les budgets et les résultats de production, on passe à un climat d'accompagnement pour que les équipes de travail s'organisent et produisent elles-mêmes les résultats. Les équipes reçoivent la responsabilité des budgets et de sa gestion. Les budgets sont alloués aux équipes selon les différents besoins des projets ainsi qu'en fonction des résultats attendus. Par exemple, un budget est alloué à une équipe pour la formation ou pour faire la promotion d'un nouveau produit, etc.

2.2.4   Passer de l'individualisme au partenariat

D'une culture où chaque employé était laissé à lui-même dans l'exercice de ses fonctions, on passe à un climat de partage qui favorise le partenariat. Les gens sont associés et alliés dans l'atteinte des résultats de l'équipe. De plus en plus, on assume des décisions prises en équipe.

2.2.5   Laisser de côté le verbe « dire » pour adopter le verbe « écouter »

Les gestionnaires qui donnent des ordres à leurs employés sont remplacés par des coachs qui posent des questions, écoutent et échangent des idées. Le coach accompagne et guide son équipe vers la découverte de bonnes solutions. Le fait de poser des questions est essentiel afin de découvrir, grâce à une écoute attentive, la façon dont le travailleur conçoit un problème et ce qui le porte à agir d'une façon plutôt que d'une autre. Le gestionnaire n'impose plus *la* méthode, mais il écoute les travailleurs pour trouver la meilleure façon de faire *avec eux*. Le coach accepte que les meilleures solutions ne viennent pas toujours de lui.

2.2.6   Aider au lieu de porter des jugements

D'une culture où l'employé est soumis au jugement de son gestionnaire et aux conséquences négatives que cela peut entraîner, on passe à un climat d'aide, d'accompagnement et de soutien pour améliorer le rendement des membres de l'équipe. Pour que les travailleurs se sentent responsables, il est important de les inciter à exprimer leur compétence sans crainte d'être jugés.

2.2.7   Rechercher des solutions originales au lieu d'utiliser des modèles

Le travail basé sur la reproduction d'un modèle défini est remplacé par un contexte où les équipes de travail doivent découvrir ensemble comment faire différemment. Les équipes doivent réinventer des façons de faire adaptées aux contraintes et aux besoins du marché. Ainsi, les réunions d'équipe deviennent une véritable mise en commun d'expertises, de forces, d'idées et de solutions.

2.2.8 Passer de la discipline à la responsabilisation

D'un contexte punitif et restrictif où le gestionnaire avait un pouvoir de sanctionner, on passe à une culture où l'on invite le travailleur à agir en pleine possession de ses moyens et où l'équipe devient responsable de ses résultats auprès de l'entreprise. De plus en plus, on délègue les objectifs et les moyens d'agir aux équipes.

2.2.9 Se débarrasser du conservatisme pour faire place à l'innovation

Les contextes réfractaires à toute forme d'inconnu et de changement font place désormais à la recherche constante de nouvelles idées. Cette recherche d'idées et de nouvelles façons de faire améliore le rendement des individus et, par conséquent, celui de l'entreprise au sein du marché. De plus en plus, la recherche, la création et l'innovation font partie intégrante des organisations.

2.2.10 Apprécier au lieu d'évaluer

D'un contexte essentiellement orienté sur l'évaluation des résultats, on passe à une culture où les forces et les efforts personnels sont reconnus. La contribution à l'exécution d'un projet, qu'elle soit collective ou individuelle, est également soulignée. La création des équipes de travail crée une culture au sein de laquelle les individus observent, reconnaissent et apprécient la contribution de chacun.

2.2.11 Gérer le potentiel humain au lieu de gérer les ressources humaines

Les entreprises où le plan de gestion visait l'ensemble du personnel deviennent des entreprises qui se renouvellent en mettant l'accent sur la gestion des aptitudes et des compétences des individus. Les aptitudes et les compétences des ressources humaines étant désormais perçues comme une valeur de première importance, on met de plus en plus l'accent sur la formation des travailleurs. On comprend l'importance d'utiliser l'intelligence des gens au service d'une vision commune du projet d'entreprise.

2.2.12 Gérer le rendement au lieu de gérer les personnes

D'un contexte où l'autorité de la gestion visait l'encadrement de l'individu même, on passe à une culture de gestion orientée sur l'amélioration du rendement professionnel des travailleurs. On ne parle plus de tâches à faire mais de compétences à mettre en œuvre. Au lieu d'*évaluer le rendement*, on *apprécie* la contribution personnelle et on *évalue les résultats*.

2.2.13 Oublier la gestion traditionnelle pour s'approprier la gestion du changement perpétuel

La gestion du personnel ne considère plus le contexte des organisations comme étant stable, prévisible et récurrent. Dorénavant, on mobilise les travailleurs pour qu'ils gèrent le changement « au quotidien ». Dans les contextes de changements technologiques ou de changements de structures de fonctionnement, la gestion est orientée vers la recherche et l'amélioration de façons de faire.

Le coach

3.1   Passer du rôle de gestionnaire à celui de coach

Le contexte actuel des milieux de travail nous amène à constater que **les gens doivent travailler différemment.** Du taylorisme[1] on chemine vers le formatisme[2]. Fini le temps où le personnel se rendait au travail, laissait son cerveau au vestiaire et effectuait machinalement une tâche. Dorénavant, il importe de définir le plus explicitement possible les contributions de chacun. Ces contributions doivent s'harmoniser afin d'éviter les dédoublements et la confusion. Ces changements influent beaucoup sur le rôle du gestionnaire d'aujourd'hui. Ce dernier doit s'adapter aux changements et tenir compte du fait qu'il n'est plus le « patron », mais un coach, responsable d'une ou de plusieurs équipes.

---

1 **Taylorisme :** méthode d'organisation scientifique du travail industriel par l'utilisation maximale de l'outillage, la spécialisation stricte et la suppression des gestes inutiles, appelé aussi système Taylor. (Dictionnaire *Le Petit Robert*)

2 **Formatisme :** stratégie qui consiste à former le travailleur afin qu'il découvre le problème par lui-même et y applique la solution adéquate. (Drolet Douville et Associés inc.)

Dans certaines entreprises, le « patron » n'est déjà plus là pour dire quoi faire aux employés. Les équipes de travail prennent des moments d'arrêt pour discuter, pour revoir, pour repenser ou pour imaginer des solutions applicables aux problèmes vécus. On demande aux membres des équipes de réfléchir et de prendre du recul par rapport à leur action pour mieux répondre aux nombreux défis quotidiens. Les conflits ne font pas peur au coach ; il posera les questions nécessaires pour permettre la clarification d'une situation. Il sait remettre en question les anciennes façons de faire, permettant ainsi l'émergence de la créativité et de l'innovation : Pourquoi doit-on continuer à le faire de cette façon ? Comment pourrions-nous le faire différemment ?

3.2   Gérer un cerveau collectif

Le gestionnaire qui se transforme en coach doit utiliser intelligemment le potentiel des membres de son équipe. Il garde à l'esprit que le potentiel de son équipe est la somme des connaissances et des aptitudes de chacun des membres réunis.

Potentiel total de l'équipe =
connaissance de tous les membres
+
aptitudes de tous les membres

Le coach doit reconnaître les forces de ses équipiers et faire en sorte de les soutenir au quotidien. Le coach accompagne sans dominer. Il aide à trouver des solutions sans décider pour son équipe. Il fournit, au moment opportun, les moyens, les outils et l'aide nécessaires. Il n'exerce pas une autorité sur ses employés, mais favorise la mise en œuvre du potentiel des membres de son équipe.

Comme le disait Felipe Alou, le coach des Expos : « Il faut être honnête et très concerné par le groupe tout en sachant encourager chaque joueur individuellement. »

Cette double action, orientée à la fois sur le groupe et sur l'individu, incite le coach à avoir une perception équilibrée de la situation.

3.3   Qu'est-ce qu'un coach ?

La décision de changer de rôle et de devenir coach est sérieuse. Afin de vous aider à comprendre davantage les différents aspects du changement qu'implique le fait de devenir coach et de vérifier si vous êtes prêt à prendre la décision de changer de rôle, nous vous proposons les thèmes suivants :

Dans ce chapitre :

- Les caractéristiques d'un bon coach

- Les rôles et les fonctions du coach

Dans le chapitre suivant :

- Les compétences requises pour être un bon coach

3.3.1   Les caractéristiques d'un bon coach

Il est un facilitateur

Le coach est avant tout un facilitateur qui travaille pour son équipe en gardant toujours à l'esprit les besoins de son organisation. Il fournit à l'équipe le leadership dont elle a besoin, les ressources adéquates et l'entraînement nécessaire à l'atteinte du rendement attendu.

Dans le quotidien, un coach enseigne, encadre et facilite le travail. Parfois sage, parfois motivateur, parfois guide, parfois animateur et parfois critique, le coach cherche constamment à favoriser le potentiel humain de son équipe. Il sait entretenir un climat de confiance avec les travailleurs.

Un bon coach maîtrise les compétences techniques du métier et possède le tempérament requis pour ce rôle. De plus, il est fondamentalement une personne humble, car il sait que ce sont les joueurs qui produisent les résultats ! L'humilité ou l'effacement vis-à-vis du succès établit la base de sa crédibilité au sein de l'équipe gagnante.

Il est le lien entre l'organisation et l'équipe

Le coach connaît parfaitement le plan stratégique de son organisation et il saisit la culture au sein de laquelle ce plan doit s'insérer.

Le coach est également le miroir de son équipe. Grâce à un esprit critique et à sa prévoyance, le coach contribue à influer sur les dimensions de l'organisation en reconnaissant les problèmes dès qu'ils surviennent. Il s'emploie à maintenir des liens solides entre la haute direction et son équipe. Habile en gestion et en planification, efficace en formation et en négociation, le coach possède une vision globale de son équipe et de son rôle, et situe correctement celle-ci au sein de l'entreprise.

Il est un agent de changement

Le rôle du coach est à l'image des besoins de son équipe. **Des besoins qui changent nécessitent des rôles qui changent !** Le coach doit comprendre que le changement au sein d'une organisation entraîne souvent de la résistance. Par son rôle, le coach aide les membres de son équipe à accueillir le changement comme faisant partie du quotidien.

En stimulant les individus à effectuer un nouveau travail, le coach transmet le goût de réussir et de progresser. Il ne peut effectuer le travail pour les membres de son équipe, mais par ses réflexions et ses actions il aide les gens à faire face aux changements souhaités et leur fournit les outils nécessaires pour s'adapter aux nouvelles façons de faire.

Peu importe les stratégies retenues pour faciliter le changement, le coach doit gérer des résistances qui sont propres au fonctionnement normal de l'humain qui vit une situation de changement. Le coach écoute les gens, décode les résistances qu'ils manifestent et aide les membres de son équipe à prendre conscience des nombreux avantages qui peuvent découler du changement! Le coach accompagne ses équipiers pour qu'ils découvrent une sécurité dans l'insécurité.

Il sait s'auto-évaluer

Coach! connais-toi toi-même! En effet, un coach doit savoir s'auto-évaluer, car celui qui se connaît mal aura très peu de moyens pour se rendre compte d'un problème, à plus forte raison s'il fait lui-même partie du problème. Dans une telle situation, un coach aura tendance à rendre les autres responsables des problèmes. Il manquera alors de discernement pour apporter le soutien nécessaire à son équipe. .

Un bon coach est une personne qui possède un excellent jugement et qui fait preuve de prudence et de réflexion au moment de l'analyse des situations problématiques. Ces trois aptitudes — jugement, prudence et capacité d'analyse réflexive — contribuent à éviter toute forme de confusion lorsque vient le temps de poser des diagnostics.

Il est un accompagnateur

Certains pensent que le rôle de coach consiste à circuler parmi les employés, à discuter avec eux et à servir de savoureux *pep talk*. Ce n'est là qu'une des nombreuses facettes du travail du coach et cette responsabilité, bien qu'en apparence facile, relève davantage de la stratégie que du sourire!

Pour assumer son rôle, le coach doit constamment ajuster sa vision. D'une perspective d'autorité, il passe à un contexte où il doit accompagner les employés. Son rôle d'accompagnateur implique qu'il aide les équipiers à s'adapter, à comprendre et à accomplir un travail de plus en plus complexe.

Le rôle d'accompagnateur consiste à aider les gens de trois façons :

- Premièrement, le coach accompagne les travailleurs de façon qu'ils atteignent un rendement acceptable dans la réalisation de leurs tâches.

- Deuxièmement, le coach accompagne son équipe de façon que cette dernière effectue le travail exigé en utilisant les bonnes façons.

- Finalement, le coach accompagnateur s'assure que son équipe obtient les bons résultats.

Le lien étroit entre les résultats escomptés et les résultats obtenus favorise l'estime de soi et la responsabilisation au sein de l'équipe. Les joueurs savent que le coach leur donnera la formation et le soutien nécessaires pour combler les écarts. De plus, ils comprennent ce que l'on attend d'eux et ce qu'ils sont capables de réaliser : deux conditions préalables au succès de l'équipe.

Questionnaire 2

Possédez-vous les aptitudes pour être un bon coach ?

Nous vous proposons maintenant le questionnaire suivant pour évaluer vos aptitudes actuelles à être coach. Souvenez-vous que cette grille a pour but de vous aider à reconnaître vos stratégies de gestion. En reprenant le questionnaire périodiquement, vous serez en mesure d'observer votre progression et de mettre l'accent sur les aspects que vous voulez améliorer.

La grille d'évaluation de vos aptitudes de coach

Ce questionnaire se veut un outil d'auto-évaluation sur la base des perceptions et des impressions vécues par le gestionnaire au sein de son équipe. Il vise à amorcer la discussion et à éveiller la réflexion.

Directive : En vous fiant à vos perceptions, évaluez **votre comportement** à l'aide des questions suivantes en cochant la case appropriée.

T : toujours   **S** : souvent   **Q** : quelquefois   **J** : jamais

	T	S	Q	J
1. On peut facilement comprendre l'essentiel dans le message que vous exprimez.	( )	(√)	( )	( )
2. On ressent la confiance que vous placez dans vos collaborateurs.	( )	(√)	( )	( )

	T	S	Q	J
3. Les collaborateurs peuvent facilement percevoir comment ils seront avantagés en menant à bien les objectifs des activités.	( )	(✓)	(✓)	( )
4. Vous vérifiez le consentement de vos collaborateurs relativement au travail à faire et aux façons de s'y prendre.	(✓)	( )	( )	( )
5. Vous donnez à vos collaborateurs l'occasion d'exprimer leurs points de vue et leurs objections.	(✓)	(✓)	( )	( )
6. Vous exprimez votre ouverture à aider ceux qui en ont besoin.	(✓)	( )	( )	( )
7. Vous réussissez facilement et sans froisser vos collaborateurs à leur indiquer, le cas échéant, qu'ils sont hors contexte ou qu'ils s'attardent à des détails inutiles.	( )	(✓)	( )	( )
8. Vous indiquez de façon non équivoque la position à tenir en cas d'erreur ou d'atteinte partielle des objectifs.	( )	(✓)	( )	( )
9. Vous n'essayez pas de spécifier tous les détails d'exécution.	( )	( )	(✓)	( )
10. Vous présentez des faits clairs et précis et non des impressions, lorsque vous parlez d'un problème ou d'une situation.	(✓)	( )	( )	( )
11. Vous vous assurez que vos collaborateurs sont disponibles, selon les besoins.	( )	(✓)	( )	( )
12. Vous déterminez les moyens pour assurer une supervision.	(✓)	( )	( )	( )
13. Vous précisez les limites des mandats de chacun de vos collaborateurs.	(✓)	( )	( )	( )
14. Vous êtes attentif à ne pas créer de situations « gagnant/perdant ».	(✓)	( )	( )	( )
15. Vous suscitez l'initiative de vos collaborateurs.	(✓)	( )	( )	( )
16. Vous manifestez de l'intérêt pour le projet que vous présentez.	(✓)	( )	( )	( )

	T	S	Q	J
17. Vous manifestez de l'empathie envers vos collaborateurs.	( )	(✓)	( )	( )
18. Vous êtes calme et détendu.	( )	(✓)	( )	( )
19. Vous maîtrisez bien votre sujet.	( )	(✓)	( )	( )
20. Vous expliquez clairement les objectifs.	(✓)	( )	( )	( )
21. Vous vous exprimez franchement.	(✓)	( )	( )	( )
22. Vous répondez aux questions de manière claire.	(✓)	( )	( )	( )
23. Vous êtes attentif aux manifestations non verbales :				
• signes d'incompréhension	(✓)	( )	( )	( )
• fatigue	( )	(✓)	( )	( )
• impatience	(✓)	( )	( )	( )
• désaccord	(✓)	( )	( )	( )
• résistance	( )	(✓)	( )	( )
24. Vous faites la synthèse :				
• des faits	(✓)	( )	( )	( )
• des désaccords	(✓)	( )	( )	( )
• des résistances	(✓)	( )	( )	( )
25. Vous êtes ouvert aux suggestions de vos collaborateurs.	(✓)	( )	( )	( )
26. Vous encouragez vos collaborateurs à poser des questions.	(✓)	( )	( )	( )
27. Vous vous assurez de la compréhension de vos collaborateurs.	(✓)	( )	( )	( )
28. Chacun sait clairement si les normes de qualité sont atteintes.	( )	( )	( )	(✓)

	T	S	Q	J
29. Vous indiquez clairement les différences entre chacune des performances attendues.	( )	( )	(✓)	( )
30. Vous vérifiez le consentement de vos collaborateurs à propos de ce que vous leur dites.	(✓)	( )	( )	( )
31. On comprend aisément par vos propos les attitudes qui incitent à une bonne performance et celles qui en entraînent une mauvaise.	( )	(✓)	( )	( )
32. On découvre facilement dans vos propos les conséquences positives d'avoir satisfait aux attentes prévues.	( )	(✓)	( )	( )
33. On découvre aisément dans vos propos les conséquences négatives de ne pas avoir satisfait aux attentes prévues.	( )	(✓)	( )	( )
34. Le feed-back que vous donnez est descriptif et non interprétatif ni évaluatif.	( )	(✓)	( )	( )
35. Le feed-back porte sur des éléments qui peuvent être changés.	(✓)	( )	( )	( )
36. Au moment d'un feed-back, vous apportez un éclairage nouveau à chacun de vos collaborateurs.	(✓)	( )	( )	( )
37. Vous savez doser la quantité d'information à transmettre à vos collaborateurs pour éviter la confusion.	( )	(✓)	( )	( )
38. Vous établissez votre part de responsabilités dans l'atteinte des objectifs.	( )	(✓)	( )	( )
39. Vous soulignez les bons coups autant que les points à être améliorés.	(✓)	( )	( )	( )
40. Vous êtes perçu comme un facilitateur auprès des membres de votre équipe.	(✓)	( )	( )	( )

Interprétation

Si vous avez coché une majorité de cases indiquant **toujours**, plus grandes sont les possibilités que vos pratiques de gestion démontrent un bon équilibre. Vous savez satisfaire, à la fois, les exigences individuelles et organisationnelles. Ce comportement est celui d'un bon coach.

Si vous avez coché une majorité de cases indiquant **souvent** ou **quelquefois**, plus grandes sont les possibilités que vos pratiques de gestion soient en changement et que vous oscilliez entre le rôle traditionnel et le rôle de coach. Il serait important de vous fixer par rapport au modèle souhaité par votre organisation, et ce, afin d'adapter votre style de gestion au profil recherché.

Si vous avez coché une majorité de cases indiquant **jamais**, plus grandes sont les possibilités que vos pratiques de gestion répondent à des stratégies d'autorité et de pression pour inciter vos collaborateurs à faire ce que l'organisation a préalablement décidé.

Étant donné que ce test révèle vos propres impressions, il serait avantageux :

- de vérifier votre perception auprès de vos collaborateurs pour chacune de vos réponses ;

- d'en discuter avec votre supérieur immédiat ;

- de consulter la direction des ressources humaines pour connaître le profil de gestion préconisé.

Un conseil : lorsque les réponses de vos collaborateurs et de votre supérieur immédiat expriment une perception très différente de la vôtre, profitez de l'occasion pour discuter de ces différences. Vous êtes sur la bonne voie pour devenir un véritable coach.

Questionnaire
3

Que pensent les membres de l'équipe de leur coach?

Vous désirez aller plus loin? Vous êtes déjà coach et vous aimeriez vérifier votre perception quant à vos stratégies de coaching? Nous vous proposons un questionnaire sur les perceptions des membres de votre équipe.

Les résultats vous fourniront un excellent point de départ pour des discussions riches et fructueuses. Demandez à chacun des membres de votre équipe de répondre aux questions et, par la suite, utilisez les résultats pour amorcer la discussion. Recevez les commentaires avec calme et sérénité et ne portez pas de jugement sur les résultats. Prêtez attention à comprendre les perceptions et agissez sur les points que vous vous sentez capable d'améliorer. Si, par bonheur, on vous renvoie le message que vous êtes déjà un excellent coach, alors remerciez vos collègues et faites la fête.

La grille d'évaluation de l'équipe sur les aptitudes du coach

Ce questionnaire est un outil d'auto-évaluation sur la base des perceptions et des impressions vécues par chaque membre de l'équipe en ce qui concerne le coach. Il vise à amorcer les discussions entre les membres de l'équipe et le coach.

Directive: En vous fiant à vos perceptions et à votre expérience d'équipe, évaluez le **comportement** de votre coach à l'aide des questions suivantes en cochant la case appropriée.

T: toujours   **S**: souvent   **Q**: quelquefois   **J**: jamais

	T	S	Q	J
1. On peut facilement comprendre l'essentiel dans le message qu'exprime le coach.	( )	( )	( )	( )
2. On ressent la confiance que place le coach dans ses collaborateurs.	( )	( )	( )	( )
3. Les collaborateurs peuvent facilement percevoir comment ils seront avantagés en menant à bien les objectifs des activités.	( )	( )	( )	( )
4. Le coach vérifie le consentement de ses collaborateurs relativement au travail à faire et aux façons de s'y prendre.	( )	( )	( )	( )
5. Le coach donne à ses collaborateurs l'occasion d'exprimer leurs points de vue et leurs objections.	( )	( )	( )	( )
6. Le coach exprime son ouverture à aider ceux qui ont besoin d'aide.	( )	( )	( )	( )
7. Le coach réussit facilement et sans froisser ses collaborateurs à leur indiquer, le cas échéant, qu'ils sont hors contexte ou qu'ils s'attardent à des détails inutiles.	( )	( )	( )	( )
8. Le coach indique de façon non équivoque la position à tenir en cas d'erreur ou d'atteinte partielle des objectifs.	( )	( )	( )	( )
9. Le coach n'essaie pas de spécifier tous les détails d'exécution.	( )	( )	( )	( )
10. Le coach présente des faits clairs et précis et non des impressions, lorsqu'il parle d'un problème ou d'une situation.	( )	( )	( )	( )
11. Le coach s'assure que ses collaborateurs sont disponibles, selon les besoins.	( )	( )	( )	( )
12. Le coach détermine les moyens pour assurer la supervision.	( )	( )	( )	( )
13. Le coach précise les limites des mandats de chacun de ses collaborateurs.	( )	( )	( )	( )
14. Le coach est attentif à ne pas créer de situations « gagnant/perdant ».	( )	( )	( )	( )

	T	S	Q	J
15. Le coach suscite l'initiative de ses collaborateurs.	( )	( )	( )	( )
16. Le coach manifeste de l'intérêt pour le projet qu'il présente.	( )	( )	( )	( )
17. Le coach manifeste de l'empathie envers ses collaborateurs.	( )	( )	( )	( )
18. Le coach est calme et détendu.	( )	( )	( )	( )
19. Le coach maîtrise bien son sujet.	( )	( )	( )	( )
20. Le coach explique clairement les objectifs.	( )	( )	( )	( )
21. Le coach s'exprime franchement.	( )	( )	( )	( )
22. Le coach répond aux questions de manière claire.	( )	( )	( )	( )
23. Le coach est attentif aux manifestations non verbales :				
• signes d'incompréhension	( )	( )	( )	( )
• fatigue	( )	( )	( )	( )
• impatience	( )	( )	( )	( )
• désaccord	( )	( )	( )	( )
• résistance	( )	( )	( )	( )
24. Le coach fait la synthèse :				
• des faits	( )	( )	( )	( )
• des désaccords	( )	( )	( )	( )
• des résistances	( )	( )	( )	( )
25. Le coach est ouvert aux suggestions de ses collaborateurs.	( )	( )	( )	( )
26. Le coach encourage ses collaborateurs à poser des questions.	( )	( )	( )	( )

	T	S	Q	J
27. Le coach s'assure de la compréhension de ses collaborateurs.	( )	( )	( )	( )
28. Chacun sait clairement si les normes de qualité sont atteintes.	( )	( )	( )	( )
29. Le coach indique clairement les différences entre chacune des performances attendues.	( )	( )	( )	( )
30. Le coach vérifie le consentement de ses collaborateurs à propos de ce qu'il leur dit.	( )	( )	( )	( )
31. On distingue facilement, par les propos du coach, le collaborateur qui offre une bonne performance de celui qui en a une mauvaise.	( )	( )	( )	( )
32. On découvre facilement, dans les propos du coach, les conséquences positives d'avoir satisfait aux attentes prévues.	( )	( )	( )	( )
33. On découvre aisément, dans les propos du coach, les conséquences négatives de ne pas avoir satisfait aux attentes prévues.	( )	( )	( )	( )
34. Le feed-back que donne le coach est descriptif et non interprétatif ni évaluatif.	( )	( )	( )	( )
35. Le feed-back porte sur des éléments qui peuvent être changés.	( )	( )	( )	( )
36. Au moment d'un feed-back, le coach apporte un éclairage nouveau à chacun de ses collaborateurs.	( )	( )	( )	( )
37. Le coach sait doser la quantité d'information qu'il transmet à ses collaborateurs.	( )	( )	( )	( )
38. Le coach définit sa part de responsabilités dans l'atteinte des objectifs.	( )	( )	( )	( )
39. Le coach souligne les bons coups autant que les points à être améliorés.	( )	( )	( )	( )
40. Le coach est perçu comme un facilitateur par les membres de son équipe.	( )	( )	( )	( )

Interprétation

Si les membres de l'équipe ont coché une majorité de cases indiquant **toujours**, plus grandes sont les possibilités que les pratiques de gestion démontrent un bon équilibre. Le coach sait satisfaire, à la fois, les exigences individuelles et organisationnelles. Ce comportement est celui d'un bon coach.

Si la majorité des cases cochées indique **souvent** ou **quelquefois**, plus grandes sont les possibilités que les pratiques de gestion soient en changement au sein de votre organisation et qu'elles oscillent entre le traditionnel et le nouveau profil de gestion.

Si la majorité des cases cochées indique **jamais**, plus grandes sont les possibilités que les pratiques de gestion répondent à des stratégies d'autorité et de pression pour inciter les collaborateurs à faire ce que l'organisation a préalablement décidé.

Étant donné que ce test révèle les impressions des membres de l'équipe, il serait avantageux :

- de vérifier la perception des autres membres de l'équipe à chacune des réponses ;

- d'en discuter avec le coach de l'équipe.

Un conseil : aux réponses où l'on constate l'expression de perceptions très différentes, il est important de profiter de l'occasion pour discuter sur ces différences.

3.4   Les rôles et les fonctions du coach

La vision d'une organisation est le fruit d'une réflexion stratégique approfondie. La vision permet de faire le point sur la situation actuelle et de dégager une perspective quant à son avenir. La vision de l'entreprise précise la nature du défi à relever. Par leurs compétences, les équipes doivent rendre les résultats tels qu'ils ont été planifiés. Grâce à cette vision et à cette façon de travailler, le processus de réflexion stratégique permet de jeter les bases d'une planification à long terme. Cette planification définit les priorités et les aspects fondamentaux que l'on doit constamment respecter, ainsi que la voie à emprunter pour atteindre les objectifs.

Le coach et son équipe

Le premier rôle du coach est de transmettre la vision de l'organisation en tenant compte de l'évolution de son milieu et du contexte dans lequel évolue son équipe. Par exemple, si une entreprise tente de conclure une commande importante sur un marché extérieur, le coach de l'équipe du service à la clientèle doit s'assurer que son équipe maîtrise la langue requise au suivi après-vente, selon les spécifications du contrat.

Le coach et l'équipe de direction

Le coach maintient également un lien constant entre son équipe et l'équipe de direction afin de suivre le plan de l'exécution des projets et des résultats attendus. Pour ce faire, il est membre d'une équipe de gestion et, par la suite, coach de son équipe de production. Le coach est donc membre de deux équipes, à des niveaux hiérarchiques différents.

La description suivante des principaux rôles et fonctions du coach révèle l'ampleur du défi auquel un coach fait face. Il peut être à la fois communicateur, facilitateur, formateur, guide et évaluateur.

3.4.1 Le coach communicateur

Ce type de coach communique à ses collaborateurs les objectifs de l'organisation et leur fait partager la vision de cette dernière. Étant le garant de la vision de l'organisation, il oriente tous les membres de son équipe dans la même direction. En tant que capitaine d'un équipage, le coach maintient le cap sur la destination visée !

Les aptitudes de communication interpersonnelle représentent un atout essentiel pour celui qui désire mettre tout le personnel au diapason. En responsabilisant les membres d'un groupe, le coach favorise les discussions au sein de l'équipe. Il s'assure que chacun comprend son rôle et la contribution qu'il doit apporter en vue du succès commun.

Les actions appropriées

- Communiquer clairement l'information à ses équipiers.

- S'assurer de la compréhension commune des objectifs à atteindre.

- Être à l'écoute de son équipe.

- Orienter son équipe dans la bonne direction par des messages appropriés.

- Motiver et mobiliser les équipes par l'apport de renseignements pertinents sur le projet.

- Maintenir des interactions efficaces au sein de son équipe.

- Dégager, par ses paroles et ses gestes, les valeurs qui suscitent l'engagement de ses équipiers.

- S'assurer de l'adéquation entre les actions et les paroles.

- Être à l'écoute des moyens proposés par son équipe comme solutions aux problèmes et en suggérer, si nécessaire.

- Maintenir des liens avec l'ensemble de l'organisation.

- Transmettre l'énergie requise au bon fonctionnement de son équipe.

- Promouvoir le changement.

3.4.2 Le coach facilitateur

Le coach facilitateur aide son équipe à se responsabiliser par rapport à l'atteinte des résultats en reconnaissant le fait que les individus sont les principaux acteurs du changement.

Bâtir son équipe

La constitution d'une équipe s'effectue avec le plus grand soin. En fonction des objectifs, une équipe est formée de tous les éléments nécessaires à l'atteinte du rendement requis. On doit décider de la composition des lignes de force et de la répartition des gens selon leurs compétences, de façon que les tâches soient exécutées le mieux possible.

Équilibrer son équipe

Pour avoir une équipe équilibrée, le coach doit détenir de l'information sur les forces et sur les faiblesses de ses collaborateurs. L'évaluation du rendement, l'observation sur le terrain, les profils de compétences, les intérêts personnels et les ambitions professionnelles constituent des sources d'information inestimables. Il ne s'agit pas de procéder à un simple regroupement d'individus, mais de faciliter la reconnaissance du potentiel de chacun pour obtenir une synergie et une productivité accrues.

Les actions appropriées

- Faire en sorte que l'équipe ait tous les éléments essentiels pour réussir.

- Garantir la formation et le soutien aux membres de son équipe.

- Être disponible.

- Poser les bonnes questions au moment opportun.

- Soutenir ses équipiers pour qu'ils donnent le meilleur d'eux-mêmes en vue d'atteindre le but.

- Encourager et reconnaître l'initiative de ses équipiers.

- Favoriser la création et le maintien d'un climat favorable au travail en équipe.

- Maintenir l'équilibre des forces au sein de son équipe.

- Être prêt à prendre des risques pour son équipe.

- Faciliter l'atteinte des objectifs de son équipe par ses conseils et ses questions.

- Favoriser par ses interventions le maintien d'une constance dans la production.

- S'assurer que le coach contribue au bon fonctionnement de son équipe.

- Gérer le changement.

L'individu recherche l'équilibre pour sa sécurité personnelle. Plus le changement projeté sur le plan de l'environnement est conforme aux valeurs du milieu, mieux la personne accepte ce qui lui est proposé. Le rôle du coach consiste à faire le lien entre ce qui existait et la transformation à venir. En discutant avec son équipe, le coach montre les points communs qui existent entre la situation passée et la situation future.

3.4.3 Le coach formateur

Le coach formateur encourage l'apprentissage de façon positive et permet le droit à l'erreur. Il sait et comprend que, dans tout changement, les individus doivent acquérir de nouvelles connaissances, de nouvelles façons de faire et, souvent, de nouvelles attitudes. Son rôle nécessite plus de « savoir-faire » et de « savoir-être » que de connaissances techniques. Par exemple, il aide et forme le travailleur trop ambitieux à faire des compromis et à collaborer davantage avec son équipe. Il prône l'engagement des équipiers. Il tient compte de tous les problèmes créés par l'exécution d'un projet selon les capacités des gens.

Au début de la démarche, le coach doit posséder un plan clairement établi qui lui indique les besoins en ce qui concerne les connaissances, les aptitudes et les attitudes requises pour l'ensemble du projet. Il doit faire preuve de vision et être capable de traduire et d'enseigner cette vision à ses collaborateurs.

Au fur et à mesure qu'il observe les besoins de formation et de perfectionnement de ses collaborateurs, le coach s'organise pour répondre à ces besoins. Il a trois façons de donner la formation : en allant chercher une aide extérieure, en formant lui-même, ou en utilisant l'assistance de ressources internes.

Les actions appropriées

- Encadrer l'ensemble des actions de ses équipiers pour les orienter vers les résultats à atteindre.

- Encourager et féliciter ses équipiers au moment de l'atteinte des résultats.

- Favoriser l'autonomie et la responsabilité de ses équipiers.

- Protéger son équipe contre l'application de procédures de l'entreprise qui sont désuètes ou impropres à l'atteinte du but.

- Apprendre à ses équipiers ce qu'ils doivent savoir.

- Enseigner aux membres de son équipe comment bien fonctionner en équipe.

- Reconnaître et respecter la valeur de l'apprentissage dans l'erreur.

- Encourager son équipe à démontrer une attitude positive.

- Enseigner les nouvelles aptitudes.

L'être humain s'investit dans des actions en fonction des avantages qu'il y perçoit. C'est précisément sur ce plan que le coach agit. Il sait structurer ses interventions selon les besoins de son équipe et des personnes qui la composent.

3.4.4 Le coach guide

Le coach guide explique, pose des questions et fait comprendre à ses collaborateurs ce que l'on attend d'eux.

Le coach accompagne et encourage les équipiers aux moments les plus difficiles. Le coach s'assure également que chaque membre de l'équipe assume correctement sa part de responsabilités dans le projet. Il apporte son soutien à chacun des membres de l'équipe.

En observant les écarts entre les résultats attendus et ceux obtenus, le coach incite l'équipe à prendre conscience des solutions possibles pour travailler à réduire, voire à éliminer ces écarts. Il pose des questions sur les écarts et anime la recherche de solutions par la création d'activités orientées sur la résolution de problèmes. Pour jouer correctement ce rôle, le coach doit percevoir de façon juste la contribution et le potentiel de croissance de chacun. Par ses conseils, il facilite la prise de décision et diminue le sentiment d'abandon ou d'isolement que chacun peut vivre par rapport à sa participation aux objectifs du groupe.

Les actions appropriées

Pour que le coach puisse remplir son rôle correctement, on doit l'informer de ce que l'organisation veut comme orientation.

Le manque d'information demeure la difficulté principale du coach dans son rôle de guide. Quels changements prévoit la haute direction ? Quelles difficultés importantes sont présentes dans l'organisation ? La force du guide sera égale à la capacité de l'organisation de l'alimenter dans ce rôle.

3.4.5 Le coach évaluateur

Le coach évaluateur vérifie les actions sur le plan de la qualité, des délais, de l'autonomie, de la productivité, de la compétitivité et de l'efficacité, dans le but de s'assurer de l'atteinte des résultats demandés à l'équipe.

Les actions appropriées

Pour mener à bien son rôle d'évaluateur, le coach considère la démarche et les résultats.

Pourquoi s'attarde-t-il à la démarche ?

Parce qu'il sait :

- que si la démarche est bonne, les résultats suivront ;

- qu'en encourageant la création de bonnes méthodes de travail, il favorise la constance dans la production et le degré de qualité ;

- qu'en investissant de l'énergie dans la recherche d'une bonne démarche cela met en œuvre la réflexion et la responsabilisation des gens dans l'action ;

- qu'en observant la démarche entreprise par ses collaborateurs, il est à même de mieux comprendre et de mieux saisir leur façon de faire et de penser.

Le coach voit aussi dans l'évaluation l'occasion de susciter des questions chez ses collaborateurs plutôt qu'un moyen de les noter ou de les juger. Il provoque ainsi une saine émulation en incitant les membres de l'équipe à prendre conscience des aspects du travail qu'il faut améliorer. Il met l'erreur en évidence pour la corriger et non pour la punir. Le coach reconnaît l'expérience comme étant la somme des erreurs que l'on ne répète pas.

Pourquoi s'attarde-t-il aux résultats ?

Parce qu'il est responsable, avec son équipe, des résultats à atteindre.

Pour y arriver, le coach doit :

- s'assurer de l'existence d'indices de mesure ;

- soutenir ses équipiers dans la recherche de solutions et dans l'auto-évaluation par rapport aux résultats ;

- alerter ses équipiers au moment opportun lorsqu'il perçoit une difficulté potentielle ;

- éveiller le sens critique en ce qui concerne la constance dans la production et la qualité ;

- vérifier et confirmer la démarche à suivre pour l'atteinte des résultats ;

- sanctionner les comportements qui dénotent un manque de respect ou qui éveillent la méfiance au sein de l'équipe.

Comment évaluer ?

Dans le domaine de l'éducation, on croit que l'adulte doit être l'artisan de son apprentissage. Le fait de participer à son évaluation et de réfléchir sur ses actions contribue à augmenter le rendement et les résultats.

L'évaluation est un moyen de gestion qui demande réflexion

Deux facteurs jouent un rôle déterminant dans l'instauration de l'autonomie et de la responsabilisation de la personne dans une situation d'apprentissage :

- l'information et le feed-back fournis par le coach sur la performance démontrée ;

- le délai — idéalement court — qui s'écoule entre la performance fournie par la personne et la réception, par celle-ci, de l'information exprimée par le coach à ce sujet.

Il est important que les moyens utilisés et retenus pour l'évaluation des résultats soient pensés longtemps à l'avance, en collaboration avec les membres de l'équipe. Les instruments doivent permettre plus qu'un échange d'opinions personnelles.

Un bon suivi est aussi important qu'une bonne évaluation. Il contribue à motiver et à orienter les gens vers les résultats souhaités. Il permet également de vérifier si les collaborateurs mettent en pratique ce qu'ils ont appris.

Quelques questions à se poser au moment de planifier l'évaluation

1. Qui évaluera ?

    - Le coach

    - Une autre personne responsable

    - Les membres de l'équipe

2. Qu'est-ce qui sera évalué ?

    - La démarche

    - Les résultats

    - L'application des normes

3. À quel moment aura lieu l'évaluation ?

   - En cours de projet

   - À des étapes précises de la réalisation du projet

   - À la fin du projet

4. Quels comportements favorisent les résultats ?
   Sous quelles formes et dans quelles conditions se manifestent ces comportements ?

   - L'engagement de l'équipe

   - Le sens du risque

   - Le partenariat entre équipes

   - Dans un contexte de temps restreint : la rapidité

5. Quels moyens permettront de faire l'évaluation ?

   - Des indices de mesures pertinents (taux de profit produit par l'équipe, vitesse d'exécution, taux de rejet, un indice du contrôle du coût)

   - L'observation de faits

6. Quelle importance sera accordée à chacun des éléments observés ?

7. Comment l'évaluation permettra-t-elle d'atteindre le résultat final ?

L'évaluation et le comportement des gens

La peur, l'incompréhension et l'intolérance des uns envers les autres sont souvent la source de conflits. Il revient alors au coach :

- de **sanctionner** les comportements qui dénotent un manque de respect ou qui éveillent la méfiance (ex. : « En tant que coach d'équipe, je ne peux accepter que les membres se parlent sur ce ton ; je vous rappelle l'importance du respect si nous voulons progresser ensemble. »)

et

- d'**encourager** tout ce qui alimente la confiance et inspire le respect (ex. : « En tant que coach d'équipe, je tiens à vous féliciter du respect que vous avez manisfesté et de l'honnêteté avec laquelle vous vous êtes exprimés. Cela nous a permis de comprendre le problème et de trouver d'excellents moyens pour le résoudre. Je vous en remercie. »)

L'application de ces actions favorise la mise en place d'un réseau de coopération. Enrichis de cette démarche, les individus effectuent leur premier apprentissage de groupe : se faire confiance et se respecter, les deux règles essentielles à la base d'un véritable travail d'équipe.

FEED-BACK ET REFORMULATION

Le feed-back

Le feed-back est un processus de rétroaction de la communication. On l'utilise généralement afin de susciter des réactions ou encore pour se faire une idée plus claire de l'état d'esprit dans lequel se trouve un collaborateur.

Dans une situation de **coaching d'équipe**, la personne qui n'a pas compris une chose n'osera pas le dire devant tout le monde de peur d'avoir l'air stupide. Le feed-back constitue alors un moyen pour le coach de valider la compréhension des messages qu'il transmet aux membres de son équipe.

Exemple de feed-back dans une situation d'équipe

Un coach réunit son groupe pour informer celui-ci de la décision du vice-président — production d'acheter un nouveau logiciel de production qui sera en fonction à partir du mois suivant. Il a préparé sa présentation en s'assurant d'y traiter en long et en large de tous les détails (offre du fournisseur, plan de formation et d'implantation, etc.). Il a été très clair : tout y est.

Le coach veut toutefois s'assurer que son groupe comprend bien la décision et les implications de celle-ci. Il terminera donc sa présentation par des phrases comme : Comment recevez-vous ces informations ? Y a-t-il des éléments qui vous préoccupent ? Quelles réactions avez-vous à la suite des informations que je vous apporte ? J'aimerais entendre vos commentaires sur ce dossier. Comment accueillez-vous cette décision ? Ainsi, il sera en mesure de tâter le pouls de son groupe de collaborateurs.

La technique du feed-back contribue à enrichir ou à stimuler la communication établie avec un collaborateur ou avec une équipe.

Quand on *demande* du feed-back, on démontre son intérêt à obtenir l'heure juste avec un collaborateur ou une équipe.

Lorsqu'on *donne* du feed-back, on clarifie notre pensée ou nos sentiments à l'égard d'une décision, d'une idée ou d'un projet.

La reformulation

Reformuler, ce n'est pas simplement répéter ce que l'autre vient de dire. La reformulation est une « stratégie miroir ». Comme un miroir, le fait de reformuler permet de refléter le message afin :

- de le clarifier ;
- d'en faire une synthèse ;
- d'en faire ressortir l'essentiel ;
- de relancer la discussion au besoin ;
- d'en saisir l'importance ;
- de susciter la reconnaissance du message émis.

La reformulation doit être brève, synthétisée. Elle doit être conforme au message formulé. Tout un défi à relever ! En effet, un message confus est difficile à reformuler. Dans ce cas, la reformulation contribuera à en clarifier le sens et aidera son émetteur à préciser sa pensée. Le coach doit faire preuve de respect et de patience surtout quand cette situation se vit en équipe ou devant les collègues de travail.

Mise en situation

Le coach informe son équipe de la mise en fonction d'un nouveau logiciel de production au cours du mois suivant. Un technicien, choqué de ce changement, formule cette réaction : « Es-tu en train de me dire que notre façon de faire n'est pas bonne et qu'un boss a décidé, sans même nous consulter, d'acheter un logiciel que personne ne connaît parce qu'un bon vendeur lui a dit que ça lui ferait économiser de l'argent ? Je ne suis pas d'accord ! »

Une reformulation possible pourrait se présenter ainsi : « Je comprends ton désaccord et j'entends que tu aurais aimé être consulté avant que la décision se prenne. »

Le coach, dans cette situation, doit être prudent à accepter l'opinion de son équipier sans le confronter dans son droit d'exprimer sa résistance.

De façon stratégique, il peut, dans son rôle d'agent de changement, enchaîner en suscitant le feed-back : « J'aimerais entendre les autres sur ce point. » Une fois la résistance exprimée, le coach peut alors parler des avantages personnels et organisationnels de ce nouveau logiciel.

Les compétences du coach

L'ensemble des compétences requises par le nouveau mode de gestion qu'est le coaching est élaboré et complexe. Bien sûr, selon les besoins de chaque organisation, toutes les compétences en coaching ne sont pas requises pour chaque coach. Afin de vous aider à dresser le profil des compétences en coaching approprié aux besoins propres de votre organisation, nous vous présentons d'abord une liste des connaissances, des aptitudes et des attitudes que le coach d'une équipe de travail doit posséder. Par la suite, nous dressons une liste de 10 compétences clés propres au coaching et nous associons chacune d'elles aux différents rôles que les coachs sont appelés à jouer. Enfin, à l'aide d'une grille de sélection, il vous sera possible de déterminer, pour chaque coach, le profil des compétences que vous souhaitez obtenir de lui.

Pour vous permettre d'entreprendre votre réflexion sur le besoin de votre entreprise en ce qui concerne le coaching, nous vous proposons les étapes suivantes :

1. Le choix des rôles du coach adaptés à votre organisation (voir le chapitre 3)

2. La définition des compétences : connaissances, aptitudes et attitudes requises pour être coach (voir le tableau intitulé « Les connaissances, aptitudes et attitudes du coach par rapport à la gestion d'une équipe de travail »)

3. Le regroupement des compétences

4. L'évaluation du degré d'expertise requis pour chacune des compétences retenues

5. L'évaluation des futurs coachs en fonction de chacune des compétences retenues

6. Le choix des coachs et la rédaction du plan de croissance de chacun

7. La formation des coachs en vue de leur nouveau rôle

8. L'évaluation de la formation et la correction, s'il y a lieu

9. La création d'outils pour faire le suivi après la formation

10. Le démarrage du projet de coaching

Par opposition à la description de tâche traditionnelle, l'analyse par le biais des compétences permet de jeter un regard plus nuancé sur le potentiel des gens. Cette nouvelle tendance s'oppose aux anciennes méthodes qui présumaient reconnaître les aptitudes par la simple vérification des diplômes et des expériences d'un individu. Dans le cas de l'approche que nous vous présentons ici, il s'agit plutôt de rechercher les attitudes personnelles qui permettent d'assumer les différents rôles du coach (communiquer, faciliter, former, guider et évaluer). Lorsque cette définition est faite, il devient plus facile de transmettre les connaissances manquantes à l'individu choisi.

Le cas de Rona est fort intéressant. L'équipe de gestion s'est investie dans la définition des compétences requises en fonction du modèle du coach que l'entreprise voulait obtenir. Les résultats ont permis d'élaborer un plan de formation basé sur les connaissances, les aptitudes et les attitudes souhaitées pour les gestionnaires-coachs de Rona. Tous les gestionnaires ont participé à la réalisation de ce programme. Les vice-présidents ont tenu à être présents tout au long de la démarche et à recevoir le maximum d'information pour être de bons coachs pour leurs coachs.

Voyez maintenant le tableau des connaissances, des aptitudes et des attitudes inhérentes aux différents rôles du coach. Faites vos choix en fonction de votre réalité organisationnelle. Ce contenu exhaustif représente l'idéal. Par conséquent, tenez-vous-en à ce qui est essentiel pour votre entreprise.

Tableau 4.1

Les connaissances, aptitudes et attitudes du coach par rapport à la gestion d'une équipe de travail

CONNAISSANCES	APTITUDES	ATTITUDES
Le coach idéal doit posséder des connaissances sur :	Le coach idéal doit prendre l'habitude :	Le coach idéal devrait être capable :
• la supervision du personnel	• de gérer une crise d'opinion	• de respecter le rythme et le potentiel de ses collaborateurs
• la mobilisation des ressources humaines	• d'appliquer les étapes de résolution de problèmes	• d'être confiant dans la capacité de ses collaborateurs
• la gestion des employés difficiles	• de planifier et d'organiser des rencontres d'équipes de travail	• de dégager une attitude favorable à la recherche de solutions
• la gestion des conflits	• d'apprécier le rendement de ses collaborateurs	
• le travail en équipe		• d'être ouvert et respectueux au moment d'échanges entre individus et de bien vivre la confrontation d'idées
• l'animation et la conduite de réunion	• d'intervenir adéquatement en situation conflictuelle	
• la résolution de problèmes	• de favoriser le redressement de la performance	
• la communication	• d'intervenir auprès d'employés difficiles ou en difficulté	• de manifester son intérêt dans le rôle qu'il tient
• l'écoute et le questionnement	• de communiquer clairement et objectivement ses idées	• d'être confiant en lui-même
• la gestion du rendement		• de croire en l'aspect pédagogique du droit à l'erreur
• la psychologie des relations de travail	• d'écouter et de bien décoder les messages verbaux et non verbaux	
• ses forces et ses faiblesses	• de reconnaître les forces et les besoins de soutien des individus	• de dégager une aisance dans son milieu
	• de satisfaire aux besoins exprimés par ses collaborateurs	• de soutenir l'adulte en recherche de solution
	• de mobiliser son équipe	• d'être engagé dans le développement des membres de son équipe
	• de superviser son équipe	
	• d'évaluer les résultats d'une stratégie	• de faire preuve d'empathie envers les autres
	• de bien gérer ses émotions	

4.1 Une question de relation avant tout

Superviser du personnel se fait essentiellement dans le cadre d'une relation entre une personne et une autre. Le respect, la communication, l'intégrité, le but commun et l'intérêt de collaborer ont toujours été des éléments gagnants, et ce, tant du point de vue des relations personnelles que du point de vue des relations d'affaires.

«Coacher» des gens est un processus interactif entre individus et suppose que l'on se parle, que l'on s'écoute, que l'on agisse et réagisse en fonction d'un intérêt commun. Souvenez-vous que les interactions avec le coach sont les sources de progrès pour le travailleur.

L'apprentissage par le coaching crée un besoin d'appréciation, puisque le principe sur lequel il repose stipule que le travailleur est en constante évolution. Cette évolution constante oblige le coach à adapter régulièrement sa grille d'évaluation à ses joueurs. C'est par le dialogue quotidien que se traduit l'appréciation du coach envers son équipe. L'on dit souvent, d'ailleurs, que le coaching se situe davantage dans une perspective de «croissance de la main-d'œuvre» que dans celle de la «gestion de la main-d'œuvre».

4.2 Comment choisir un coach?

À la lumière de ce qui précède, nous constatons qu'il importe, avant d'implanter un programme de coaching, de se doter d'un outil de sélection pour le choix des coachs.

Selon le contexte et les besoins particuliers de l'organisation, on doit procéder au choix des coachs en fonction du profil élaboré au moyen des éléments suggérés précédemment.

Quand cela est possible, des tests psychométriques peuvent être fort utiles au moment du choix des coachs et de la construction des équipes de travail. Ces tests fournissent des indices révélateurs sur le profil d'un individu. Toutefois, cet outil est fort coûteux, ce qui réduit son accessibilité pour nombre d'entreprises.

Dans la majorité des cas, les équipes sont constituées du personnel déjà en place. Les résultats des évaluations annuelles de rendement s'avèrent essentielles et peuvent apporter des éléments importants pour le bon choix d'un coach. Une dernière façon pour choisir un coach consiste à se baser sur le choix exprimé par les membres de l'équipe. Dans nombre de cas, cette méthode naturelle s'avère très adéquate.

Afin de vous aider à dresser un profil du coach adapté à vos besoins, nous vous proposons une grille composée d'une sélection de compétences clés pour chacun des rôles.

4.2.1   La compétence et la compétence clé

Une compétence est un ensemble d'attitudes et d'aptitudes susceptibles de fournir le bagage nécessaire à l'employé pour qu'il soit efficace dans ses fonctions et à l'aise dans ce qu'il réalise. Le but est d'atteindre les objectifs de productivité fixés.

Les compétences clés sont les compétences qui ont été ciblées comme étant essentielles à l'accomplissement des fonctions du coach.

Les compétences établies sont variables d'une équipe à l'autre. Par exemple, selon la taille de l'équipe, le coach a besoin d'une maîtrise plus ou moins importante de l'animation de réunion ou de groupe. Ou encore, selon le degré d'autonomie des employés, il augmente ou réduit le nombre de ses interventions quant à la résolution de problèmes. On doit mettre au point les compétences clés du coach en fonction des besoins et des caractéristiques propres de l'équipe.

Exemple :

Le cas d'Exfo, entreprise spécialisée en instrumentation de mesure pour fibres optiques, démontre que la capacité d'innover et de résoudre des problèmes ne sera jamais retenue en tant que compétence du coach, puisque les équipes sont composées d'ingénieurs en recherche et développement et que leurs tâches consistent précisément à concevoir, à innover et à résoudre les problèmes. Dans ce contexte, les compétences du coach s'orientent davantage sur la communication, sur la gestion de l'équipe de travail et sur les résultats : le coach est essentiellement un facilitateur.

Nous vous proposons une liste de 10 compétences clés que nous jugeons essentielles au profil général de ce que peut être un coach pour votre organisation. À vous d'y exercer votre choix !

Les 10 compétences clés du coach

1. Une vision stratégique des enjeux de l'organisation

Il s'agit de la capacité de comprendre l'effet financier des décisions prises. La préoccupation sous-jacente à cette compétence est, pour le coach, d'établir, de traduire et de réaliser les objectifs prioritaires de production.

2. Être orienté sur les résultats

Être orienté sur les résultats se traduit par la livraison de la marchandise dans les délais prévus.

3. Être un excellent communicateur

Il s'agit d'interagir efficacement avec des individus et des groupes. Être un bon communicateur consiste à écouter, à donner des messages clairs et à en vérifier la compréhension par la suite.

4. Résoudre des problèmes efficacement

Cette compétence consiste à analyser avec justesse une situation en vue de guider son équipe à choisir la meilleure solution pour un problème donné.

5. Gérer l'équipe de travail

Il s'agit d'inciter un groupe de gens à partager des objectifs communs et d'utiliser les différences de chacun pour atteindre les objectifs.

6. Le leadership

Un coach assume le rôle de leader d'une équipe. Un leader démontre une attitude positive, de l'énergie, de la souplesse et le courage de prendre des risques calculés. Le leadership a pour but d'inspirer le respect et la confiance envers le coach.

7. L'innovation

Le coach capable d'innovation est celui qui suscite la création de nouvelles solutions et élabore des approches créatives pour améliorer l'efficacité de l'équipe.

8. Le souci de l'épanouissement des autres

Il s'agit d'être conscient et désireux de soutenir l'autre dans son apprentissage. L'évolution des autres se fait par l'encadrement, la gestion du rendement et la consultation.

9. La volonté de demeurer dans un processus d'apprentissage continu

Cette compétence consiste à reconnaître ses propres forces et faiblesses et à agir pour améliorer son rendement et son efficacité. En outre, cela implique la capacité de définir les apprentissages nécessaires pour faire différemment.

10. Le souci de la satisfaction de la clientèle

Il s'agit de la capacité d'établir des relations, de déterminer les besoins de la clientèle et de trouver les moyens de les satisfaire.

Nous vous présentons dans le tableau qui suit le parallèle entre les différents rôles du coach et les compétences clés qui s'y rattachent.

Tableau 4.2

Les rôles et les compétences du coach

RÔLES	COMPÉTENCES CLÉS
1. Rôle de communicateur Le coach communicateur doit communiquer à ses collaborateurs les objectifs de l'organisation et leur faire partager la vision de cette dernière. **Actions appropriées** √ Communiquer clairement l'information à ses équipiers. √ S'assurer de la compréhension commune des objectifs à atteindre. √ Être à l'écoute de son équipe. √ Orienter son équipe dans la bonne direction par des messages appropriés. √ Motiver et mobiliser les équipes par l'apport de renseignements pertinents sur le projet. √ Maintenir des interactions efficaces au sein de son équipe. √ Dégager, par ses paroles et ses gestes, les valeurs qui suscitent l'engagement de ses équipiers. √ S'assurer de l'adéquation entre les actions et les paroles. √ Être à l'écoute des moyens proposés par son équipe comme solutions aux problèmes et en suggérer, si nécessaire. √ Maintenir des liens avec l'ensemble de l'organisation. √ Transmettre l'énergie requise au bon fonctionnement de son équipe. √ Promouvoir le changement.	• Communication • Résolution de problèmes • Gestion de l'équipe de travail - Leadership • Capacité d'innover

RÔLES	COMPÉTENCES CLÉS

2. Rôle de facilitateur

Le coach facilitateur est là pour aider son équipe à se responsabiliser dans l'atteinte des résultats en reconnaissant le fait que les individus sont les principaux acteurs du changement.

Actions appropriées

√ Faire en sorte que l'équipe ait tous les éléments essentiels pour réussir.

√ Garantir la formation et le soutien aux membres de son équipe.

√ Être disponible.

√ Poser les bonnes questions au moment opportun.

√ Soutenir ses équipiers pour qu'ils donnent le meilleur d'eux-mêmes en vue d'atteindre le but.

√ Encourager et reconnaître l'initiative de ses équipiers.

√ Favoriser la création et le maintien d'un climat favorable au travail en équipe.

√ Maintenir l'équilibre des forces au sein de son équipe.

√ Être prêt à prendre des risques pour son équipe.

√ Faciliter l'atteinte des objectifs de son équipe par ses conseils et ses questions.

√ Favoriser par ses interventions le maintien d'une constance dans la production.

√ S'assurer que le coach contribue au bon fonctionnement de son équipe.

√ Gérer le changement.

• Vision stratégique des enjeux de l'organisation

• Gestion de l'équipe de travail
  - Mobilisation
  - Leadership
  - Animation et encadrement

• Développement des autres

RÔLES	COMPÉTENCES CLÉS

3. Rôle de formateur

Le coach formateur est là pour encourager l'apprentissage de façon positive et pour permettre le droit à l'erreur.

Actions appropriées

√ Encadrer l'ensemble des actions de ses équipiers pour les orienter vers les résultats à atteindre.

√ Encourager et féliciter ses équipiers au moment de l'atteinte des résultats.

√ Favoriser l'autonomie et la responsabilité de ses équipiers.

√ Protéger son équipe contre l'application de procédures de l'entreprise qui sont désuètes ou impropres à l'atteinte du but.

√ Apprendre à ses équipiers ce qu'ils doivent savoir.

√ Enseigner aux membres de son équipe comment bien fonctionner en équipe.

√ Reconnaître et respecter la valeur de l'apprentissage dans l'erreur.

√ Encourager son équipe à démontrer une attitude positive.

√ Enseigner les nouvelles aptitudes.

• Gestion de l'équipe de travail
  - Encadrement et formation
  - Mobilisation
  - Leadership

• Volonté d'apprendre

• Vision stratégique des enjeux de l'organisation

• Développement des autres

• Communication

• Résolution de problèmes

4. Rôle de guide

Le coach guide explique, pose des questions et fait comprendre à ses collaborateurs ce qu'on attend d'eux.

Actions appropriées

√ S'assurer de la compréhension commune des buts visés.

√ Animer la prise de décision lorsque nécessaire.

√ Guider ses équipiers à travers les obstacles nuisant à l'atteinte du but commun.

• Communication

• Gestion de l'équipe
  - Gestion des conflits
  - Gestion des employés difficiles

• Vision stratégique des enjeux de l'organisation

RÔLES	COMPÉTENCES CLÉS

√ Faire le choix des stratégies appropriées au caractère de son équipe.

√ Guider la réflexion au moment opportun.

√ Vérifier et redéfinir la démarche quand il observe que ses équipiers dérogent du but fixé.

√ Guider les membres de son équipe dans la découverte des acquis.

5. Rôle d'évaluateur

Le coach évaluateur vérifie les actions sur le plan de la qualité, des délais, de l'autonomie, de la productivité, de la compétitivité et de l'efficacité, dans le but de s'assurer de l'atteinte des résultats d'équipe.

Afin d'y arriver, il réfléchit aux actions à entreprendre tout en évaluant leur effet sur les résultats.

Faut-il considérer la démarche ou le résultat ?
Le coach doit considérer les deux.

Actions appropriées

√ S'assurer de l'existence d'indices de mesure.

√ Soutenir ses équipiers dans l'auto-évaluation par le biais des résultats et la recherche de solutions.

√ Alerter ses équipiers au moment opportun lorsqu'il perçoit une difficulté potentielle.

√ Éveiller le sens critique pour le maintien de la constance dans la production.

√ S'il y a lieu, remettre en question la démarche à suivre pour l'atteinte des résultats.

√ Être garant de son équipe auprès de l'organisation en ce qui concerne l'atteinte des résultats.

√ Sanctionner les comportements qui traduisent un manque de respect ou qui éveillent la méfiance au sein de l'équipe.

• Communication

• Gestion de l'équipe de travail

• Capacité d'innover

• Orientation sur les résultats

• Souci de la satisfaction de la clientèle

4.3   La sélection d'un coach

Pour mieux vous aider à choisir vos coachs et à apprécier leur contribution, nous avons conçu une grille de sélection. Cette grille présente les compétences clés qui permettent au coach d'assumer adéquatement les différents rôles qui lui sont dévolus. Bien entendu, cette grille peut être enrichie ou modifiée en fonction des attentes ou des exigences particulières de votre entreprise.

En fonction des résultats de la grille de sélection, vous pourrez orienter le plan de mise au point des compétences souhaitées pour chaque coach selon les besoins présents et futurs de votre organisation. (Voir l'exercice de la section 4.4, et le tableau 4.6, intitulé « Constat des différences entre le gestionnaire traditionnel et le coach ».)

Comment utiliser la grille

Vous devrez préciser la pondération des critères que vous aurez retenus en fonction de l'importance que vous accordez à chacune des compétences. Pour évaluer l'importance à accorder à chacune des compétences, désignez les besoins de vos équipes ou des secteurs d'activité où vous désirez nommer un coach.

Nous suggérons également d'établir une évaluation sur 100 et de standardiser l'évaluation à l'aide d'une grille de pointage : sur une échelle de 0 à 5 (voir l'exemple présenté ci-après).

Tableau 4.3

La sélection du coach

CRITÈRES	ÉVALUATION
Compétences relatives au rôle de communicateur	
• Communication	☐
- Capacité d'écoute/décodage	
- Expression des attentes	
• Ouverture et empathie	☐
• Leadership	☐
- Partage des objectifs	
- Capacité d'incitation à la collaboration	
- Souplesse	
• Résolution de problèmes	☐
•	☐
•	☐ ☐
Compétences relatives au rôle de facilitateur	
• Planification/organisation	☐
- Détermination d'objectifs	
- Gestion des priorités	
- Délégation	
• Animation/direction	☐
- Définition des besoins	
- Organisation/animation de réunion	
• Agent de changement	☐
- Adaptation au changement	
- Orientation stratégique du changement	
•	☐
•	☐ ☐
Compétences relatives au rôle de formateur	
• Encadrement	☐
- Supervision	
- Démarche commune	
- Modification de comportement	
- Redressement de performance	
• Résolution de problèmes	☐
- Capacité d'analyse	
- Prise de décision	
- Capacité d'innover	
• Volonté d'apprendre	☐
• Développement des autres	☐
•	☐
•	☐ ☐

CRITÈRES	ÉVALUATION

Compétences relatives au rôle de guide
- Capacité de gérer des conflits
- Capacité d'orienter les actions
- Capacité de reconnaître les changements à entreprendre
- Capacité de suggérer et d'adapter les stratégies au milieu
-
-

Compétences relatives au rôle d'évaluateur
- Orientation sur les résultats
    - Respect des échéanciers
    - Productivité
- Évaluation et moyens
- Souci de la satisfaction de la clientèle
-
-

Total

Dans ce modèle, nous avons choisi de privilégier par ordre d'importance les rôles de communicateur, de facilitateur, de formateur et d'évaluateur. Nous avons, par la suite, adapté la pondération et la répartition des points comme suit :

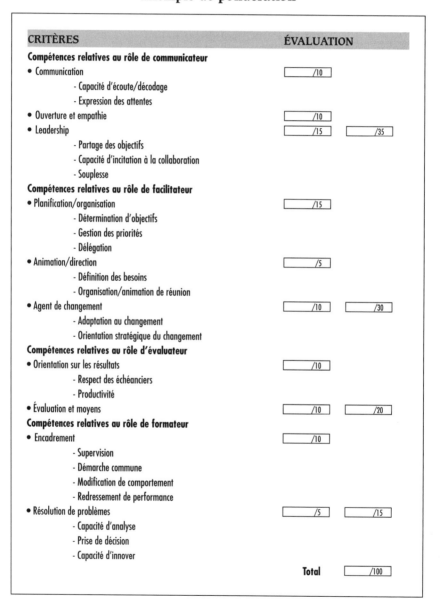

Tableau 4.4

La sélection du coach
Exemple de pondération

CRITÈRES	ÉVALUATION	
Compétences relatives au rôle de communicateur		
• Communication	/10	
- Capacité d'écoute/décodage		
- Expression des attentes		
• Ouverture et empathie	/10	
• Leadership	/15	/35
- Partage des objectifs		
- Capacité d'incitation à la collaboration		
- Souplesse		
Compétences relatives au rôle de facilitateur		
• Planification/organisation	/15	
- Détermination d'objectifs		
- Gestion des priorités		
- Délégation		
• Animation/direction	/5	
- Définition des besoins		
- Organisation/animation de réunion		
• Agent de changement	/10	/30
- Adaptation au changement		
- Orientation stratégique du changement		
Compétences relatives au rôle d'évaluateur		
• Orientation sur les résultats	/10	
- Respect des échéanciers		
- Productivité		
• Évaluation et moyens	/10	/20
Compétences relatives au rôle de formateur		
• Encadrement	/10	
- Supervision		
- Démarche commune		
- Modification de comportement		
- Redressement de performance		
• Résolution de problèmes	/5	/15
- Capacité d'analyse		
- Prise de décision		
- Capacité d'innover		
Total	/100	

La valeur de la pondération retenue est un indicateur de l'importance des compétences que vous jugez nécessaires à votre organisation. Pour achever votre démarche, vous pourriez parfaire cet outil de sélection en précisant :

- les définitions de vos critères pour que tous aient une interprétation identique de la terminologie utilisée ;

- les modifications à apporter aux choix des critères selon le secteur ou les mandats particuliers des équipes ;

- les modalités d'évaluation des critères ;

- la grille de pointage.

Vous pourriez également rédiger un guide d'accompagnement ; ce guide comportera :

- les modalités de sélection (entrevues, tests psychométriques, jeux de rôle, etc.) ;

- la préparation et le déroulement des entrevues de sélection :

  - les principes à respecter ;

  - la conception et l'élaboration du questionnaire d'entrevue ;

  - les erreurs à éviter ;

  - la pertinence du choix final et le rôle des membres de l'équipe ;

  - tout autre élément que vous jugerez approprié et important pour votre organisation.

Cette analyse faite, vous serez en mesure de choisir correctement vos coachs d'équipe et d'évaluer l'amélioration de leur performance.

4.4   Les pistes de croissance pour le coach

Nous vous proposons un exercice pour vous aider à faire le constat des différences entre le gestionnaire traditionnel et un coach au sein de votre entreprise. Cette grille vous permet d'élaborer les pistes de croissance pour le coach de votre entreprise. Par la suite, nous vous présentons un tableau synthèse des différences entre le gestionnaire traditionnel et un coach afin que vous confirmiez les résultats de votre exercice.

Étape par étape

1. Décrivez, par rapport à chacune des compétences clés présentées dans la grille (tableau 4.5), les actions qu'entreprend le gestionnaire traditionnel dans votre organisation.

2. À l'aide des notions apprises, présentez les actions que doit faire le coach d'une équipe de travail par rapport à chacune des compétences clés que vous désirez adapter à votre organisation.

3. Dégagez des pistes de croissance quant à la formation que vous conseilleriez au gestionnaire traditionnel pour qu'il devienne un bon coach pour votre organisation.

4. Confirmez vos résultats avec votre gestionnaire immédiat, la direction des ressources humaines, voire le premier dirigeant de votre organisation. Si votre évaluation s'avère juste, les pistes de croissance que vous aurez ciblées pourront être traduites en plan de formation à l'intention du futur coach.

Tableau 4.5

Constat des différences entre
le gestionnaire traditionnel et le coach

Exercice

COMPÉTENCES CLÉS	GESTIONNAIRE TRADITIONNEL	COACH	PISTES DE DÉVELOPPEMENT
1. Sens stratégique des enjeux de l'organisation	• Planifie les échéanciers	• Planifie le travail de l'équipe en fonction des objectifs de l'organisation	√ Planification stratégique
	À vous de compléter	*À vous de compléter*	*À vous de compléter*
	• • • •	• • • •	√ √ √ √
2. Orientation sur résultats	• Contrôle l'atteinte des résultats	• Rend chacun conscient du niveau de résultat attendu	√ Appréciation des résultats
	• • • •	• • • •	√ √ √ √

COMPÉTENCES CLÉS	GESTIONNAIRE TRADITIONNEL	COACH	PISTES DE DÉVELOPPEMENT
3. Communication	• Informe ses collaborateurs immédiats qui, à leur tour, informent leurs subordonnés	• Communique ses attentes à l'équipe	√ Communication au travail
4. Résolution de problèmes	• Résout les problèmes	• Accompagne l'équipe dans la résolution de problèmes	√ Processus de résolution de problèmes

COMPÉTENCES CLÉS	GESTIONNAIRE TRADITIONNEL	COACH	PISTES DE DÉVELOPPEMENT
5. Gestion des équipes de travail	• Fixe les objectifs de l'équipe	• Planifie et organise les réunions de son équipe	√ Animation d'une équipe de travail
	•	•	✓
	•	•	✓
	•	•	✓
	•	•	✓
6. Leadership et influence	• Influence par sa position	• Manifeste de l'intérêt afin de susciter l'initiative de ses collaborateurs	√ Leadership et motivation
	•	•	✓
	•	•	✓
	•	•	✓
	•	•	✓

COMPÉTENCES CLÉS	GESTIONNAIRE TRADITIONNEL	COACH	PISTES DE DÉVELOPPEMENT
7. Souci de la satisfaction de la clientèle	• Vérifie la satisfaction de la clientèle	• Connaît ses clients et leurs besoins	√ Approche qualité dans les services
	•	•	⌄
	•	•	⌄
	•	•	⌄
	•	•	⌄
8. Capacité d'innover	• Applique les procédures internes	• Questionne les façons de faire	√ Interrelations professionnelles
	•	•	⌄
	•	•	⌄
	•	•	⌄
	•	•	⌄

COMPÉTENCES CLÉS	GESTIONNAIRE TRADITIONNEL	COACH	PISTES DE DÉVELOPPEMENT
9. Développement des autres	• Privilégie le développement des autres pour le rendement de son service	• Reformule les besoins de formation selon les objectifs du groupe et les compétences requises à l'atteinte des résultats	√ Stratégies de coaching
10. Volonté d'apprendre	• Agit en fonction de son plan de carrière	• Est ouvert aux échanges entre individus	√ L'organisation apprenante

Tableau 4.6

Constat des différences entre le gestionnaire traditionnel et le coach
Tableau synthèse

COMPÉTENCES CLÉS	GESTIONNAIRE TRADITIONNEL	COACH	PISTES DE DÉVELOPPEMENT
1. Sens stratégique des enjeux de l'organisation	• Planifie les échéanciers • Dirige chacune des étapes de la production • Indique les choses à faire en matière de production quotidienne	• Planifie le travail de l'équipe en fonction des objectifs de l'organisation • S'assure du maintien de l'engagement de ses équipiers • Adapte les stratégies à l'environnement • Connaît bien les principes commerciaux • Comprend le milieu au sein duquel il évolue • Est pourvu d'une pensée stratégique • Connaît les orientations stratégiques de son secteur	√ Planification stratégique √ Perfectionnement en mobilisation et en consolidation des équipes de travail
2. Orientation sur résultats	• Contrôle l'atteinte des résultats • Dirige avec une main de fer dans un gant de velours • Sévit lorsque les résultats ne sont pas atteints	• Rend chacun conscient du niveau de résultat attendu • Communique régulièrement les résultats partiels aussitôt qu'ils sont disponibles • Maintient l'équipe centrée sur son objectif ultime • Saisit les occasions et prend des risques • Réagit aux indices d'inefficacité • Répond aux attentes de base • Établit des objectifs d'équipe exigeants mais réalistes	√ Gestion du temps et des priorités √ Appréciation des résultats

100

COMPÉTENCES CLÉS	GESTIONNAIRE TRADITIONNEL	COACH	PISTES DE DÉVELOPPEMENT
3. Communication	• Informe ses collaborateurs immédiats qui, à leur tour, informent leurs subordonnés • Donne des ordres • Pose des jugements de valeur • Rédige des notes de service	• Communique ses attentes à l'équipe • Fait part objectivement de ses idées • Décode clairement les messages reçus • Fait preuve de discernement au moment des échanges • Partage l'information • Est pourvu d'une bonne écoute (objective et active) • Réagit efficacement • Utilise une communication verbale et non verbale • S'assure de la compréhension de l'interlocuteur	√ Communication au travail
4. Résolution de problèmes	• Résout les problèmes • Transmet ses solutions	• Accompagne l'équipe dans la résolution de problèmes • Applique les étapes de la résolution de problèmes • Décortique et saisit les contraintes • Fait des liens entre des composantes • Effectue des analyses complètes et logiques	√ Processus de résolution de problèmes √ Gestion des conflits √ Prise de décision
5. Gestion des équipes de travail	• Fixe les objectifs de l'équipe • Dirige les rencontres • Contrôle la réunion • S'occupe de l'ordre du jour des réunions	• Planifie et organise les réunions de son équipe • Supervise et anime les rencontres d'équipe en favorisant la collaboration de tous les membres • Voit au suivi des rencontres d'équipes • Joue le rôle de facilitateur • Mobilise les gens • Responsabilise les membres • Sollicite les autres pour leur demander leur avis • Entretient un réseau de ressources variées	√ Animation d'équipe de travail √ Mobilisation d'équipes de travail √ Conduite de réunion √ Gestion de projet d'équipe de travail √ Délégation

COMPÉTENCES CLÉS	GESTIONNAIRE TRADITIONNEL	COACH	PISTES DE DÉVELOPPEMENT
6. Leadership et influence	• Influence par sa position • Amène les autres à penser comme lui • Dirige son groupe • Impose des décisions	• Influence par rapport à son rôle dans l'organisation • Manifeste de l'intérêt afin de susciter l'initiative de ses collaborateurs • Exerce une influence qui incite à la collaboration et à l'échange dans son équipe • Stimule la participation de tous • Fait preuve d'efficacité dans ses gestes et dans ses paroles • Communique une vision	√ Leadership et motivation √ Leadership
7. Souci de la satisfaction de la clientèle	• Vérifie la satisfaction de la clientèle • Dirige les clients les plus importants vers lui-même • Dicte les comportements à adopter au moment de problèmes avec les clients	• Connaît ses clients et leurs besoins • S'assure de maintenir au sein de son équipe le désir de satisfaire le client • Fixe ses actions en fonction de la satisfaction de la clientèle • S'assure d'évaluer régulièrement l'atteinte des objectifs de satisfaction fixés avec son équipe • Assure un suivi et maintient une communication claire • Adopte la perspective du client • Assume une responsabilité personnelle • Développe des associations	√ Approche qualité dans les services

COMPÉTENCES CLÉS	GESTIONNAIRE TRADITIONNEL	COACH	PISTES DE DÉVELOPPEMENT
8. Capacité d'innover	• Applique les procédures internes • Change les collaborateurs qui ne collent pas au « pattern »	• Questionne les façons de faire • Guide le groupe dans la recherche d'idées novatrices • Remet en cause les procédures internes • Présente des solutions • Crée et applique de nouvelles solutions • Possède la capacité de s'adapter • Recherche l'amélioration par des moyens non traditionnels • Crée de nouvelles solutions	√ Communication : - écoute verbale et non verbale - questionnement √ Interrelations professionnelles
9. Développement des autres	• Privilégie le développement des autres pour le rendement de son service • Tend à transmettre la formation qu'il a lui-même acquise • Voit la formation comme un moyen de corriger l'erreur	• Reformule les besoins de formation selon les objectifs du groupe et les compétences requises à l'atteinte des résultats • Soutient l'adulte en recherche de solutions • Valide les apprentissages • Encourage à l'essai et reconnaît le droit à l'erreur • Encourage l'apprentissage et la croissance • Prend des mesures pour hausser le rendement des autres • Offre des occasions d'apprentissage dans des tâches ou des rôles stimulants • Reconnaît le talent des autres • Formule des attentes claires, objectives et réalistes	√ Stratégies de coaching

COMPÉTENCES CLÉS	GESTIONNAIRE TRADITIONNEL	COACH	PISTES DE DÉVELOPPEMENT
10. Volonté d'apprendre	• Agit en fonction de son plan de carrière • Désigne les collaborateurs qui sont susceptibles de l'aider • Exprime de la résistance aux changements et un manque de confiance envers les membres de son équipe à l'égard des changements qui surviennent	• Est ouvert aux échanges entre individus • Démontre une ouverture à l'égard des nouvelles méthodes de gestion • Comprend son propre développement • Analyse son propre rendement • Prend les mesures nécessaires • Apprend avec dynamisme	√ Organisation apprenante √ Gestion du changement √ Gestion de soi à l'intérieur des changements organisationnels √ Gestion des employés difficiles

104

L'équipe de travail...

ou l'art de grandir en groupe !

La mise en place d'une équipe est un processus qui exige beaucoup de temps, une grande aptitude à planifier, une bonne dose de patience et des talents de communicateur. Les entreprises qui décident d'implanter des équipes de travail investissent énormément de ressources et d'énergie dans ces projets.

Pourquoi, alors, certains projets d'implantation d'équipes de travail échouent-ils ? Dans de nombreux cas, cela arrive parce que les responsables oublient qu'une équipe, comme un humain, ou comme une entreprise, évolue **étape par étape**.

5.1   Une équipe de travail évolue étape par étape

Votre entreprise ou votre carrière ne s'est pas construite en deux jours. Étape par étape, projet par projet, vous avez acquis des aptitudes et des compétences qui font que vous en êtes là aujourd'hui. Du premier travail d'été, en passant par les premiers contrats ou les premiers emplois, jusqu'à aujourd'hui, vous avez acquis de plus en plus de confiance en vous. Vos talents et toutes vos expériences vous permettent dorénavant de naviguer plus aisément à travers les obstacles et les défis qui se présentent.

De même, une équipe de travail évolue étape par étape. Implanter une équipe est un projet de longue haleine et vous devez vous attendre à vous y investir durant une longue période de temps.

Que vous soyez coach, gestionnaire ou membre d'une équipe, les pages suivantes vous présentent les différentes étapes de vie que traversent une équipe et son coach. En sachant ce qui vous attend, en reconnaissant ce que vous vivez actuellement ou en apprenant ce que vous vivrez prochainement, vous réussirez beaucoup mieux à mettre sur pied votre équipe et à la faire évoluer, et vous ressortirez gagnant de cette démarche.

Deux éléments essentiels à retenir

1. Une équipe traverse différentes étapes d'évolution
qui lui permettent de devenir de plus en plus autonome
dans son travail.

2. Un coach, en tant qu'accompagnateur d'une équipe,
a un rôle qui doit s'adapter aux différentes étapes de l'évolution
de son équipe. Le coach doit ajuster son rôle
au fur et à mesure qu'évolue son équipe.

Voici quelques petits rappels sur les équipes en général, avant d'approfondir les diverses étapes d'évolution d'une équipe et de son coach.

5.2   Qu'est-ce qu'une équipe ?

Une équipe est un ensemble d'individus qui sont liés et motivés par un objectif, des attentes et des besoins communs. Les membres d'une équipe établissent entre eux un réseau de relations, lesquelles influent sur la vie de chacun. En ce sens, chaque équipe est unique et possède une personnalité qui lui est propre.

5.3   Pourquoi des entreprises veulent-elles constituer des équipes ?

On constitue une équipe principalement **pour réaliser un projet qu'un individu seul ne pourrait réussir.** Nombre de gens sont plus efficaces lorsqu'ils travaillent en groupe. Efficacité accrue, multitude d'idées, motivation, satisfaction, plaisir, voilà essentiellement les avantages de la mise en commun des talents de différentes personnes. Les **différences** entre les individus deviennent des atouts, car les forces des uns compensent les faiblesses des autres. Cette complémentarité fournit à l'équipe le bagage d'outils qui permet de relever la plupart des défis.

5.4   Comment choisir les membres d'une équipe ?

Lorsque vient le temps de mettre sur pied une équipe, mieux vaut choisir les gens pour ce qu'ils sont (attitudes et aptitudes) plutôt que pour ce qu'ils savent (connaissances et expertise). Il est en effet plus facile d'enseigner des connaissances techniques à une personne qui possède les attitudes désirées que de modifier l'attitude d'une personne qui n'a que son savoir.

Il est à remarquer que la tendance naturelle de l'être humain est de choisir des gens qui lui ressemblent. Le grand défi consiste, au contraire, à s'entourer de gens différents de soi. Souvenez-vous que c'est la **complémentarité** des individus qui fait la force d'une équipe.

On constate que nombre d'entreprises choisissent rarement les membres d'une équipe, car elles utilisent les ressources qu'elles ont déjà. On appelle cela le phénomène de la **composition aléatoire**. En conséquence, il devient important de considérer les compétences de chacun des membres, de telle sorte que l'équipe atteigne un rendement maximal.

Des études démontrent que ces équipes formées au hasard ne sont pas moins efficaces que les équipes de sélection. Toutefois, il faut porter une attention toute particulière à la délégation des responsabilités. Il est essentiel de déléguer en fonction des forces et des faiblesses de chacun. Les résultats de l'équipe en dépendent. C'est aussi par la délégation des responsabilités que l'équipe se cimente.

5.5   Comment déterminer le degré d'autonomie d'une équipe ?

La mise en place d'équipes au sein d'une entreprise nécessite l'élaboration d'une structure qui favorise leur bon fonctionnement. Sans structure adéquate, l'équipe est vouée à l'échec. Comment préciser le degré d'autonomie d'une équipe et qui doit le faire dans l'entreprise ? Une bonne façon de répondre à ces questions consiste à mettre sur pied un **plan directeur**.

Élaborer un plan directeur est une façon de gérer la croissance d'une équipe. En établissant clairement les orientations et les limites à l'intérieur desquelles doivent manœuvrer les équipes, le plan directeur détermine le degré d'autonomie des groupes de travail. Ces balises permettent aux équipes de définir leurs limites ainsi que leur structure de fonctionnement. Si la haute direction omet d'orienter avec précision ses équipes, elle risque que certaines d'entre elles s'approprient plus de pouvoir que prévu.

5.6 Comment une entreprise ou une organisation peut-elle être incitée à mettre sur pied des équipes de travail ?

Une entreprise ou une organisation peut être incitée à former des équipes pour nombre de raisons. Voici une liste de différentes situations qui motivent la formation d'équipes de travail :

- l'ouverture de postes selon des critères qui exigent des aptitudes à fonctionner en équipe
  (ex. : création d'une équipe d'instructeurs) ;

- le regroupement de personnes ayant des tâches complémentaires au sein d'une même direction (ex. : équipe des achats) ;

- la mise en commun d'expertises différentes qui ont intérêt à se réunir pour produire un résultat commun
  (ex. : équipes multidisciplinaires dans les centres de jour d'un service de santé) ;

- la réaffectation d'individus issus de milieux professionnels différents qui se retrouvent dans une même unité
  (ex. : les travaux publics de municipalités regroupées) ;

- l'embauche de plusieurs personnes devant faire partie d'un même service (ex. : équipe de ventes) ;

- la transformation de postes de travail gérés de façon traditionnelle vers une équipe autogérée
  (ex. : le personnel de la paie qui devient une équipe autogérée pour la paie).

Exemple

La Triade, un centre de réadaptation ayant reçu le prix d'excellence de l'administration publique du Québec en 1997 dans le domaine de la santé et des services sociaux.

La direction générale de la Triade a mis en place des équipes de travail. Une fois le bon fonctionnement de ces équipes assuré, la direction a consulté les gestionnaires pour connaître les changements que ces nouvelles façons de travailler créaient par rapport à leur rôle de gestion.

Grâce aux suggestions et aux commentaires apportés par les gestionnaires, il fut beaucoup plus simple d'apporter les changements qui permettaient à tous de mieux travailler. En se fondant sur la vie au sein de l'organisation, le centre La Triade a évité la mise en place d'éléments non requis et non essentiels. Il est très important que l'entreprise fasse les choix appropriés à ses besoins et à ses méthodes de travail.

5.7   Reconnaître les étapes de l'évolution d'une équipe

Avant d'atteindre un degré élevé de rendement et d'autonomie, une équipe traverse quatre étapes. De ce fait, le coach traverse également quatre étapes, car il doit ajuster son rôle aux changements qui surviennent dans son équipe.

Les membres d'une équipe ont besoin d'apprendre à reconnaître les différentes étapes qu'ils auront à franchir pour atteindre un rendement plus élevé. N'hésitez pas à parler ouvertement des étapes de l'évolution d'une équipe à votre groupe. Tous les gens engagés dans un groupe de travail seront attentifs à ce qui se passe dans leur équipe et comprendront qu'il est normal de traverser des moments difficiles et des moments d'adaptation. Quand on sait d'avance que le chemin vers le succès passe par différentes étapes et différents degrés de difficultés, il est plus facile de garder à l'esprit l'objectif final.

Une équipe est gagnante lorsqu'elle arrive à franchir certaines étapes avec aisance :

Étape 1 : la création de l'équipe

Étape 2 : la négociation du mode de fonctionnement de l'équipe

Étape 3 : l'acceptation du mode de fonctionnement de l'équipe

Étape 4 : le rendement maximal de l'équipe

Nombre d'individus forment une équipe sans avoir pris le temps et les moyens de se connaître. Un groupe de travailleurs a tout intérêt à consolider son fonctionnement et ses liens. Cela devient évident au moment de la prise d'une décision importante qui éveille ou provoque des divergences d'opinions. Si les liens de l'équipe ne sont pas solides, des gens se désengagent de l'équipe. Faire le choix de mieux connaître les étapes de l'évolution d'une équipe, c'est faire le choix de prévenir les obstacles et de relever les défis.

Chaque étape de l'évolution d'une équipe se divise en sous-étapes.

La **première sous-étape** concerne **l'équipe et ses membres**. Elle peut impliquer des changements à l'intérieur de l'équipe.

La **deuxième** se concentre sur le **coach**. L'équipe et le coach ne vivent pas chacune des quatre étapes de la même manière.

La **troisième** présente, sous la forme d'un tableau facile à consulter, des **problèmes** qui peuvent survenir au cours de chacune des étapes de l'évolution d'une équipe. Des pistes de solutions sont proposées au coach pour chacun des problèmes.

Enfin, la **quatrième** propose **des outils de travail**, des grilles d'évaluation ou des questionnaires qui peuvent s'avérer très utiles au moment de la mise sur pied d'une équipe de travail.

5.7.1   La première étape : la création de l'équipe

L'équipe à l'étape de sa création

Cette première étape demande beaucoup d'énergie, de patience et d'ouverture d'esprit ! Être membre d'une nouvelle équipe, surtout pour ceux qui ont toujours travaillé seuls, nécessite une période d'adaptation pour comprendre cette nouvelle façon d'exploiter ses talents et son potentiel.

Nous vous présentons une liste des différentes situations que tous les membres d'une équipe vivent au moment de sa création :

• La nomination des membres

• La mise en place des règles de fonctionnement

- La précision du but commun visé

- La définition des rôles, des forces et des faiblesses de chacun

- La détermination des objectifs et des résultats à atteindre

- La formation des alliances au sein de l'équipe

- La réalisation d'un travail minimal par l'équipe

- La crainte des membres de l'équipe de dire la vérité et les tentatives d'éviter les conflits

- L'attente et l'observation mutuelle des membres

Le coach à l'étape de la création de l'équipe

Le coach a le rôle d'animer et de guider son équipe dans la découverte de ce mode de travail. Il s'assure que chaque membre comprend les règles de fonctionnement de l'équipe. Il prend beaucoup de temps pour répondre aux questions et pose lui-même des questions. Il réserve des moments pour que les membres de l'équipe puissent créer des liens entre eux. À cette étape, il est normal que l'équipe soit très dépendante de son coach. Vous remarquerez également que les coéquipiers observent plus qu'ils ne participent.

Le coach doit faire prendre conscience à l'équipe de son rythme de fonctionnement. Il veillera à fournir les moyens, le soutien et les outils nécessaires pour sécuriser l'équipe et lui faciliter l'atteinte des résultats souhaités. Le coach est le reflet de l'équipe. En tout temps, il peut donner la position de son groupe par rapport aux objectifs.

Tableau 5.1

Les problèmes possibles reliés à l'étape
de la création d'une équipe

PROBLÈMES	ACTIONS PROPOSÉES
Les objectifs semblent confus pour les membres de l'équipe ; le but est imprécis.	Le coach doit faire valoir ses talents de communicateur en présentant et en expliquant la raison d'être de l'équipe. Il peut réexpliquer la vision organisationnelle qui détermine ce qui est attendu de l'équipe et des résultats visés.
Les rôles des membres de l'équipe sont mal définis. Les forces individuelles sont méconnues.	- Le coach doit utiliser ses talents de communicateur et de facilitateur en s'assurant que les descriptions de tâches sont claires dès le départ. Quand les tâches sont claires, le coach peut consacrer du temps et de l'énergie à discuter des rôles de chacun des membres de l'équipe. - Le coach doit s'assurer que les membres de l'équipe sont formés pour le rôle qu'ils auront à assumer.
Absence de règles de fonctionnement	- Le coach peut inciter les membres à se donner des règles, car ce qui vient d'eux est plus facile à assumer et à autogérer. - Le coach peut aussi démontrer l'importance des règles de fonctionnement et veiller à les faire respecter. - Le coach peut évaluer les résultats lorsque les membres respectent les règles de fonctionnement et lorsqu'ils ne les respectent pas, et comparer les deux avec les membres.
Manque de leadership chez le coach	- Le manque de leadership est un problème réel à la première étape. Dans un tel cas, alerter et former le coach ou nommer un conseiller d'accompagnement.

Les outils de travail durant l'étape de la création d'une équipe

Les questions types pour établir un mode de fonctionnement

Ce questionnaire est conçu comme outil pour amorcer la discussion entre les membres de l'équipe de façon qu'ils se donnent des règles de fonctionnement comprises et acceptées de tous.

Directive : En équipe, prenez le temps de répondre aux questions suivantes en écoutant attentivement les réponses de tous les membres de l'équipe. Prenez des notes et échangez vos résultats !

1. Quel est mon rôle en tant que membre d'une équipe ?

2. Quelles forces puis-je apporter à l'équipe ?

3. Quels sont les avantages de chaque personne à participer à cette équipe ?

4. Quelle est la motivation de chacun à vouloir fonctionner en équipe ?

5. Quels comportements manifestent une participation active dans une équipe ?

6. Qui est le coach d'équipe ?

7. Quel sera le rôle du coach ?

8. Quelles sont nos attentes quant au rôle de coach ?

9. À quels moments auront lieu nos rencontres?

10. Quels sont nos règlements en ce qui concerne les retards ou les absences aux rencontres d'équipe?

11. Quels sont nos règlements en ce qui a trait à ceux qui ne respecteront pas leurs tâches ou les échéances?

12. Quels comportements devons-nous adopter pour solutionner nos difficultés sur le plan des relations interpersonnelles?

13. Quels sont nos moyens pour résoudre un problème?

14. Quelles récompenses nous offrirons-nous **périodiquement** pour maintenir l'énergie au travail?

Autres

16. _____

17. _____

18. _____

Savoir écouter : un état d'esprit

La grille pour le coach et les membres de l'équipe

Ce questionnaire se veut un outil d'auto-évaluation sur la base des impressions et des perceptions vécues par chaque membre de l'équipe. Il sert à amorcer la discussion entre les membres de l'équipe et le coach afin d'apporter les améliorations souhaitées dans le fonctionnement de l'équipe.

Directive : Cochez la case appropriée.

	Oui	Non
1. D'habitude vous ne craignez pas d'exposer vos vues quand surgit une controverse au cours d'une réunion.	(✓)	( )
2. Vous aimez les choses claires. Ainsi, au travail, quand tout va mal, il n'est pas rare que vous alliez dire « ses quatre vérités » au patron.	( )	( )
3. Généralement, vous retenez difficilement du premier coup le nom des personnes qui vous sont présentées.	( )	( )
4. Vous vous sentez plutôt contrarié quand, au cours d'une réunion sociale, vous êtes au milieu d'un groupe qui discute de choses que vous ignorez.	(✓)	( )
5. Vous êtes plutôt du genre impulsif.	( )	( )
6. Vous trouvez important d'émettre vos opinions durant une discussion.	( )	( )

	Oui	Non
7. Vous êtes du genre alerte : quand votre interlocuteur s'explique, vous pensez rapidement aux questions à lui poser quand il aura terminé.	( )	( )
8. Quand vous assistez à une conférence, vous avez l'habitude de prendre place dans les dernières rangées.	( )	( )
9. Quand vous êtes en présence d'un client, il vous arrive de regarder souvent votre montre pour ne pas excéder le temps d'entrevue qu'il vous a alloué.	( )	( )
10. Lors d'une conversation, vos yeux sont facilement attirés par une tierce personne qui vous approche.	( )	( )
11. Comme d'autres, vous croyez que, en général, « dialoguer c'est une perte de temps ».	( )	( )
12. Vous êtes plutôt du genre actif. Vous parvenez mal à tenir en place.	( )	( )
13. Vous êtes de ceux qui croient que la réussite d'une discussion tient essentiellement aux deux données suivantes : l'art de bâtir une bonne argumentation et celui de conclure rapidement.	( )	( )
14. Avec beaucoup d'autres, vous partagez cette conviction qu'il n'y a pas de temps à perdre à écouter un collègue de travail se raconter.	( )	( )
15. Habituellement, l'indécision d'une personne vous met les nerfs en boule.	( )	( )
16. Vous êtes plutôt du genre à écouter ce qui vous intéresse.	( )	( )
17. Vous êtes plutôt du genre de ceux qui se laissent distraire facilement.	( )	( )
18. Vous n'êtes jamais parvenu à avoir totalement confiance en vous-même lorsque vous devez vous exprimer devant un groupe de personnes.	( )	( )
19. Au cours d'une discussion, votre imagination travaille continuellement ; vous cherchez toujours à prévoir les objections de votre interlocuteur.	( )	( )
20. Vous êtes plutôt du genre de ceux qui évitent les gens qui parlent pour ne rien dire.	( )	( )

Interprétation

Ce test n'a pas la prétention d'être scientifique. Tout au plus se veut-il un indicateur des tendances que vous avez et vise à refléter votre aptitude naturelle.

Savoir écouter est beaucoup plus que communiquer. C'est d'abord et avant tout un état d'esprit, un trait de caractère, une disposition naturelle, voire une habileté qui est essentielle au travail en équipe.

Comptez le nombre de **NON** que vous avez coché. Plus le total des **non** est **élevé**, plus vous avez de la **facilité à écouter**.

De **0 à 5**   Difficulté marquée en ce qui concerne l'écoute.

De **6 à 9**   On doit vous couper la parole !

De **10 à 12**   Vous êtes dans la moyenne, il y a place à l'amélioration, mais vous êtes sur la bonne voie.

De **13 à 15**   Aptitudes et capacités évidentes d'écoute.

De **16 à 18**   Supérieur à la moyenne, vous devriez enseigner.

De **19 ou 20**   Excellent résultat. On vous recherche comme ami.

5.7.2   La deuxième étape : la négociation du mode de fonctionnement de l'équipe

*L'équipe à l'étape de la négociation
du mode de fonctionnement de l'équipe*

À cette étape, il est nécessaire de prendre le temps qu'il faut pour se réunir souvent, pour informer, analyser et remettre en question les façons de travailler de l'équipe. Le fonctionnement de l'équipe et les actions à prendre sont souvent remis en question et l'entente n'est pas toujours présente.

L'apprentissage est difficile. Les réunions sont parfois nombreuses et les décisions lentes à venir. À certains moments, l'équipe doit revenir sur une décision passée, ce qui crée de la contrariété, voire de la confusion quant à son fonctionnement. Des critiques surgissent et les gestionnaires, observateurs du processus, peuvent avoir l'impression de perdre leur temps. Pourtant, ces réactions sont normales !

Armez-vous de patience, d'ouverture d'esprit et de tolérance, car c'est en passant par cette étape que les membres d'une équipe deviennent des « pros » en négociation et en recherche de consensus !

Voici une description de ce que vit un groupe à l'étape de la négociation du mode de fonctionnement de l'équipe :

- Les membres de l'équipe expérimentent les méthodes de fonctionnement et les règles selon lesquelles ils ont accepté de travailler.

- L'équipe établit une façon de reconnaître les buts visés par le groupe et met sur pied un processus de résolution de problèmes qui est accepté de tous et commun à tous.

- L'équipe a besoin de consacrer beaucoup de temps en groupe pour échanger des points de vue et préciser les choses.

- Des luttes de force peuvent survenir au sein de l'équipe. Ainsi, il peut être difficile de maintenir un bon fonctionnement et l'efficacité.

- Les règles et les indices de performance déjà établis peuvent être remis en question par certains membres de l'équipe, surtout si ces règles et ces indices leur causent des difficultés.

À l'occasion, les membres de l'équipe se risquent à dire ce qu'ils pensent, mais, à cette étape, cette façon de faire froisse la susceptibilité des membres.

Bref, au moment de la négociation du mode de fonctionnement de l'équipe, les membres du groupe demeurent prudents.

Le coach à l'étape de la négociation du mode de fonctionnement de l'équipe

À cette étape, le rôle du coach prend beaucoup d'importance. Le coach travaille avec son groupe sur les aspects du travail en équipe qui permettront d'établir des infrastructures efficaces. Ce sont ces infrastructures ou modes de fonctionnement qui permettront d'évoluer harmonieusement.

Le coach aide l'équipe à créer des aptitudes dans trois rôles essentiels. Ces rôles consistent, premièrement, à **prendre des décisions**, deuxièmement, à **respecter le consensus d'équipe** et, troisièmement, à **gérer les conflits**. Le coach est très vigilant et porte une attention particulière aux conflits latents ainsi qu'à la présence de sous-groupes informels à l'intérieur de l'équipe. Le coach fournit donc un leadership ferme mais respectueux pour aider l'équipe à évoluer vers l'étape suivante.

En ce qui concerne la prise de décision, il est important que le coach donne la chance aux membres de l'équipe de s'habituer à prendre des décisions ensemble. Le coach remarquera que certains groupes réussissent à s'entendre rapidement sur une procédure efficace de prise de décision, alors que d'autres n'y arrivent pas.

Le rôle du coach est d'accompagner son équipe dans cette expérience. Il doit faire en sorte que son équipe apprenne de ses propres expériences. Dans cette phase de recherche, la difficulté réside dans le maintien de l'équilibre au sein de l'équipe. Ici, maintenir l'équilibre consiste à ne pas dépasser les seuils de tolérance des membres du groupe.

Il vient un moment où le coach, qui aide l'équipe à analyser et à comprendre ses difficultés, doit donner à son équipe les moyens appropriés pour chercher et trouver des solutions. Si le même problème se présente plusieurs fois, il est sage d'inclure, parmi ces moyens, des séances de formation touchant la résolution de problèmes. Il est important, également, de permettre aux membres d'une équipe qu'ils se dotent d'un processus de résolution de problèmes (ou de conflits) avant que le coach intervienne.

Cette expérience de recherche de fonctionnement contribue à fortifier l'équipe, tout en laissant émerger le potentiel et les forces individuelles et collectives de cette dernière. Bien que le résultat à court terme puisse sembler faible, l'effet à long terme de cette expérimentation contribue véritablement à cimenter l'équipe. L'effet produit sur le climat et sur les échanges d'idées entre les coéquipiers est remarquable. Non seulement l'équipe évolue sur le plan de l'autonomie, mais elle parvient ainsi au consensus sur la façon d'arriver à des résultats concrets.

On observe généralement, après quatre ou cinq mois, une certaine stabilité dans l'équipe. Plus le coach est habile à favoriser et à accompagner son équipe dans la recherche de la stabilité et de l'autonomie, plus on constate les effets des résultats produits par cette même équipe.

Tableau 5.2

Les problèmes possibles reliés à l'étape de la négociation du mode de fonctionnement de l'équipe

PROBLÈMES	ACTIONS ET SOLUTIONS PROPOSÉES
Il y a des conflits au sein de l'équipe.	- Rassembler les faits afin de diagnostiquer la situation. - Former les membres à la gestion des conflits en équipe. - Guider les membres vers la recherche de solutions. - Effectuer un suivi pour constater l'amélioration.
Certains membres se désengagent à la suite de décisions prises.	- Reprendre le processus de prise de décision accepté par l'équipe. - Repérer la source du désengagement. - Laisser l'équipe discuter des conséquences du désengagement et des actions à entreprendre. - Accompagner le groupe dans la démarche à la suite de la décision d'équipe. - S'assurer que l'équipe utilise un processus décisionnel adapté à ses réalités.
Certains membres manquent de confiance envers l'équipe et la démarche.	- Consolider l'équipe par une activité en travail d'équipe ou *team building*. - Assister les membres lorsqu'ils s'expriment pour mieux se comprendre et se découvrir. - Valoriser le soutien apporté par les membres à leurs collègues.

Questionnaire
6

Les outils de travail pour l'étape de la négociation du mode de fonctionnement de l'équipe

Les trois clés du succès du travail en équipe

Même lorsque des gens ont l'habitude de travailler ensemble, ils peuvent avoir de la difficulté à travailler en équipe. Une équipe n'est pas nécessairement efficace du fait qu'elle est une équipe ; il y a trois conditions à respecter pour qu'elle fonctionne bien.

Ces trois conditions sont :

1. Le but commun

Il faut que l'équipe ait un but qui soit accepté par tous et qui motive la participation de tous les membres.

2. Les relations interpersonnelles

Pour former une équipe, il faut que les membres s'entendent entre eux, c'est-à-dire qu'ils communiquent et aient de l'influence les uns sur les autres.

3. La capacité de maintenir l'harmonie

*Il faut que les membres se consacrent **régulièrement** à repérer et à solutionner les problèmes qui peuvent nuire à leur fonctionnement et à l'atteinte des résultats visés.*

Au moment de la négociation d'une équipe de travail, on doit donc répondre aux questions suivantes :

Directive : En équipe, prenez le temps de répondre aux questions suivantes en écoutant attentivement les réponses de chacun. Prenez des notes et échanger vos résultats !

• Le but commun

Dans notre équipe, est-ce que tous les membres partagent le même but, c'est-à-dire un but qui soit pleinement compris et accepté par tous les membres et qui motive la participation de chacun ?

( ) Oui Lequel ? _____

( ) Non Pourquoi ? _____

• Les relations interpersonnelles

Dans notre équipe, est-ce que tous les membres s'entendent bien, c'est-à-dire qu'ils s'influencent les uns les autres et ont la capacité de communiquer entre eux ?

( ) Oui

( ) Non Pourquoi ? _____

• La capacité à maintenir l'harmonie

Dans notre équipe, est-ce que tous les membres sont capables de réagir et d'intervenir de façon appropriée lorsque survient une situation à potentiel conflictuel ?

( ) Oui

( ) Non Pourquoi ? _____

• Les points forts et les points faibles perçus au sein de notre équipe

Points forts   Points faibles

_____   _____

_____   _____

_____   _____

_____   _____

_____   _____

Questionnaire
7

L'évaluation de certains indicateurs du travail en équipe

La grille de l'équipe

Ce questionnaire se veut un outil d'auto-évaluation sur la base de vos impressions et de vos perceptions quant au fonctionnement de l'équipe. Il doit être utilisé comme outil pour amorcer la discussion entre les membres de l'équipe et le coach afin d'apporter les améliorations souhaitées dans le fonctionnement de l'équipe.

Directive : Évaluez votre degré de satisfaction à l'aide des questions suivantes en cochant la case appropriée.

1 = entièrement insatisfait
2 = un peu satisfait
3 = satisfait
4 = très satisfait
5 = entièrement satisfait

A. La coordination des tâches et la concertation	Votre degré de satisfaction
1. Les tâches et les rôles sont clairs et bien définis.	1 2 3 4 5
2. Chaque personne connaît les liens entre son travail et celui de ses collègues.	1 2 3 4 5
3. Le cadre et les outils de travail sont appropriés et efficaces.	1 2 3 4 5

	Votre degré de satisfaction				

4. La charge de travail est répartie équitablement. 1 2 3 4 5

5. L'information utile circule rapidement de façon libre. 1 2 3 4 5

6. Chaque personne connaît l'utilité du travail qu'elle accomplit. 1 2 3 4 5

7. Les attentes et l'évaluation en ce qui concerne le rendement contiennent des critères de performance et d'engagement. 1 2 3 4 5

8. Un processus de résolution de problèmes est appliqué par l'équipe. 1 2 3 4 5

9. Des efforts mutuels sont faits pour enrichir les tâches. 1 2 3 4 5

10. Les progrès et les résultats du groupe sont mesurés de façon régulière. 1 2 3 4 5

11. La créativité et la croissance du potentiel sont encouragés. 1 2 3 4 5

12. Le groupe réussit à définir des orientations et des objectifs communs. 1 2 3 4 5

13. L'équipe fait la différence entre ce qui nécessite la contribution de l'équipe et ce qui doit se faire individuellement. 1 2 3 4 5

14. L'équipe est régulièrement informée des résultats atteints et des écarts à combler. 1 2 3 4 5

15. L'équipe dispose du temps requis pour la discussion et la recherche de solutions. 1 2 3 4 5

B. Le climat de travail

1. Les relations interpersonnelles sont harmonieuses ; il y a de la vie dans le groupe. 1 2 3 4 5

	Votre degré de satisfaction				

2. Les différences individuelles sont encouragées et acceptées dans l'équipe.　　1　2　3　4　5

3. Les personnes se sentent utiles et importantes comme membres du groupe.　　1　2　3　4　5

4. La collaboration entre les personnes se fait de façon spontanée.　　1　2　3　4　5

5. Les seniors (plus expérimentés) parrainent les juniors (moins expérimentés).　　1　2　3　4　5

6. Les personnes expriment librement leurs opinions sans crainte de rejet.　　1　2　3　4　5

7. L'équipe se montre habile à solutionner les conflits entre ses membres.　　1　2　3　4　5

8. Les personnes sont fières d'appartenir à cette équipe.　　1　2　3　4　5

9. L'entraide existe lorsqu'un membre du groupe affronte une difficulté particulière dans un mandat.　　1　2　3　4　5

10. Il existe une compétition saine qui n'entrave pas l'atteinte des objectifs communs.　　1　2　3　4　5

11. Les personnes savent faire face à une crise d'opinion.　　1　2　3　4　5

12. Le respect est une valeur présente au sein de l'équipe.　　1　2　3　4　5

13. Les relations établies entre les membres facilitent les échanges d'idées.　　1　2　3　4　5

14. Les différences de tempérament sont perçues comme un plus pour l'équipe.　　1　2　3　4　5

15. Les gens ont du plaisir à travailler en équipe.　　1　2　3　4　5

Puisque cette grille a pour but de permettre la discussion sur le fonctionnement de l'équipe et d'apporter à celui-ci les améliorations souhaitées, l'équipe devra retenir tous les points cochés **1**, **2** et **3**. L'équipe doit considérer en priorité les énoncés qui présentent le plus haut taux d'insatisfaction doivent être considérés en priorité par l'équipe de façon à décider des mesures à prendre.

5.7.3 La troisième étape : l'acceptation du mode de fonctionnement de l'équipe

L'équipe à l'étape de l'acceptation
du mode de fonctionnement de l'équipe

À cette étape, l'équipe fonctionne avec une aisance accrue et prend de plus en plus son leadership en main, selon les besoins du moment. Elle démontre aussi une amélioration significative en ce qui a trait à l'efficacité et aux résultats. L'équipe devient une force observable et reconnue au sein de l'entreprise ou de l'organisation.

Voici les caractéristiques d'un groupe qui traverse l'étape de **l'acceptation du mode de fonctionnement de l'équipe** :

- Les membres ont acquis une aisance dans le travail d'équipe.

- Les membres font preuve de cohérence et sont plus disciplinés.

- Les faiblesses sont atténuées pour faire place aux forces.

- Le processus de prise de décision (appliqué au besoin) s'avère efficace.

- Le climat de travail demeure harmonieux grâce à l'équipe qui repère et solutionne les problèmes qui peuvent nuire à l'atteinte de ses objectifs.

- Un climat de confiance est établi et les coéquipiers s'expriment franchement.

À cette étape, l'équipe a trouvé son rythme et les réunions sont intéressantes. La valeur des échanges d'idées (de plus en plus constructifs) et l'efficacité de l'équipe sont des sources de motivation, et ce, même si le coach est absent. Les membres sont capables de prendre des décisions efficacement et ils se soutiennent mutuellement.

Les membres de l'équipe sont maintenant capables d'établir les éléments de formation qui leur permettraient d'être plus efficaces. On parle surtout, à cette étape, de rafraîchissement, de perfectionnement et de maîtrise d'aptitudes.

Le coach à l'étape de l'acceptation du mode de fonctionnement de l'équipe

L'équipe a évolué et le coach joue un rôle plus effacé. Il devient un facilitateur d'actions. Par son soutien et ses encouragements, il valorise l'utilisation des forces individuelles selon les nombreux besoins qui surgissent au sein de l'équipe. Le coach doit avoir la sagesse de se retirer progressivement de l'action pour laisser la place à l'équipe, qui devient de plus en plus autonome et productive. Le coach est conscient que son équipe a encore besoin de formation et s'assure que ses besoins sont comblés.

Tableau 5.3

Les problèmes possibles reliés à l'étape de l'acceptation du mode de fonctionnement de l'équipe

PROBLÈMES	SOLUTIONS PROPOSÉES
Les membres manquent d'information.	- Mettre en place une structure et un système d'information appropriés aux besoins de l'équipe. - Formuler une demande claire d'information auprès de l'organisation. - Être convaincant et incitatif par rapport à l'information requise.
La rivalité existe entre les membres de l'équipe.	- Repérer les intentions réelles des individus responsables. - Déterminer les éléments de rivalité. - Renforcer les résultats d'équipe. - Favoriser les possibilités de complémentarité et d'équilibre en mettant l'importance sur le but et sur les résultats à atteindre en équipe. - Transférer les personnes résistantes dans des équipes où **elles peuvent contribuer davantage.**

Questionnaire 8

Les outils de travail pour l'étape de l'acceptation du mode de fonctionnement de l'équipe

L'évaluation de la mobilisation et de la supervision de l'équipe

La grille de l'équipe

Ce questionnaire se veut un outil d'auto-évaluation sur la base de vos impressions et de vos perceptions à propos du fonctionnement de l'équipe. Il doit être utilisé comme outil pour amorcer la discussion entre les membres de l'équipe et le coach, afin de définir les améliorations souhaitées dans le fonctionnement de l'équipe.

Directive : Évaluez votre degré de satisfaction à l'aide des questions suivantes en cochant la case appropriée. Prenez des notes et échangez vos résultats !

1 = entièrement insatisfait
2 = un peu satisfait
3 = satisfait
4 = très satisfait
5 = entièrement satisfait

Les affirmations suivantes correspondent-elles à ce qui se passe au sein de votre équipe ?

	Votre degré de satisfaction				
1. Coach et équipiers ont une vision claire des orientations de l'organisation.	1	2	3	4	5
2. Coach et équipiers ont une vision claire du rôle de leur équipe dans l'organisation.	1	2	3	4	5
3. Coach et équipiers ont une vision claire de la performance de leur équipe au sein de l'organisation.	1	2	3	4	5
4. Coach et équipiers ont déterminé la contribution individuelle à fournir.	1	2	3	4	5
5. Coach et équipiers font part de leur point de vue et communiquent leurs besoins.	1	2	3	4	5
6. Les contributions des membres de l'équipe sont équitables.	1	2	3	4	5
7. Les indicateurs de performance sont clairs et connus de tous.	1	2	3	4	5
8. Les plans d'action et les échéanciers sont suivis et soutiennent l'action.	1	2	3	4	5
9. Une rétroaction (feed-back) est régulièrement donnée sur l'état d'avancement de l'ensemble des objectifs du plan d'action.	1	2	3	4	5
10. La collaboration s'accroît dans l'équipe.	1	2	3	4	5
11. La responsabilité s'accroît dans l'équipe.	1	2	3	4	5
12. La satisfaction des personnes mobilisées est évaluée régulièrement.	1	2	3	4	5
13. Le degré d'atteinte des objectifs est évalué périodiquement par le coach et les équipiers au cours d'une rencontre de gestion.	1	2	3	4	5
14. La supervision donne un sens aux efforts.	1	2	3	4	5

	Votre degré de satisfaction				

15. La supervision incite l'équipe à l'action et au dépassement.　　1　2　3　4　5

16. Les conclusions de la supervision établie sont traduites
en gestes concrets : reconnaissance, action-suivi, discipline,
plan de formation, plan de carrière, promotion.　　1　2　3　4　5

Ce qui est bien fait (les points forts cotés 3, 4 et 5)

1. _____

2 _____

3. _____

Ce qu'on doit mettre en œuvre (les points cotés 1 et 2) **et qui devra être inclus dans le plan de formation de l'équipe**

1. _____

2. _____

3. _____

À faire :

• Échangez vos idées sur vos résultats.

• Établissez les actions à entreprendre en équipe pour améliorer ce qui doit l'être.

• Évaluez périodiquement vos résultats.

135

5.7.4 La quatrième étape : la performance maximale de l'équipe

L'équipe à l'étape de la performance maximale

À cette étape, l'équipe est responsable et de plus en plus engagée par rapport à son rendement. L'équipe entretient un lien d'interdépendance avec son coach. Ce dernier est consulté pour orienter et soutenir la démarche d'équipe vers l'atteinte des résultats souhaités. Voici la liste des caractéristiques d'une équipe qui a atteint la dernière étape du processus :

- Les membres forment une équipe bien rodée et on constate l'atteinte d'un niveau de productivité et d'un degré de qualité élevés.

- L'équipe partage la même fierté en ce qui concerne les résultats atteints et a une même vision quant aux projets.

- L'équipe a atteint un degré d'efficacité maximal.

- L'équipe est autonome, efficace et responsable.

- L'équipe s'autogère pleinement par rapport à son rendement.

- L'équipe est capable de résoudre ses problèmes tout en maintenant un climat de travail sain et nourrissant.

Le miracle se réalise enfin ! L'équipe a trouvé sa vitesse de croisière et elle atteint un très bon rendement. Chaque individu connaît ses forces et est en mesure d'orienter ces dernières de façon à accentuer la rapidité avec laquelle l'équipe se dirige vers ses résultats. Toute cette opération s'opère dans l'aisance et dans la reconnaissance du potentiel de chacun.

À cette étape, la prise de décision et la recherche de solutions sont des activités mobilisatrices. On est stimulé par le professionnalisme et la créativité. Les membres du groupe se sentent plus efficaces en équipe que seuls. La prise de décision s'opère rapidement et, si l'on fait face à des difficultés, on sait faire appel aux personnes qui peuvent intervenir pour débloquer l'impasse. On a confiance. Les membres se consultent constamment et l'équipe est en mesure de prendre toutes ses décisions. Elle est autonome et peut s'autogérer.

Le coach à l'étape de la performance maximale de l'équipe

De plus en plus, le coach joue un rôle en retrait, car le leadership est devenu une attitude commune à l'ensemble des membres de l'équipe. Solidarité, autonomie, ouverture d'esprit et efficacité sont des valeurs partagées par le groupe, et ce, dans le respect des tâches, des normes et des résultats à atteindre. Le coach a rempli sa mission.

Tableau 5.4
Les problèmes possibles à l'étape de la performance maximale de l'équipe

PROBLÈMES	SOLUTIONS PROPOSÉES
Le plan stratégique est mal compris ou les objectifs sont incompatibles avec la performance d'équipe.	- Reconnaître clairement la cause de la difficulté avant d'agir. Ce problème peut relever :
	1. d'un manque d'information ;
	2. d'une erreur de planification ;
	3. d'une expertise d'équipe non reconnue quant aux résultats souhaités ;
	4. d'une équipe inutile à l'entreprise.
	Vous comprendrez que, selon la cause, les actions à entreprendre peuvent être d'une importance capitale pour l'équipe et l'organisation.
	- Aller chercher l'information auprès de la haute direction et la confirmer.
	- Confirmer la compréhension de l'information et de ce qui est attendu de l'équipe.
	- Repérer la source de l'incompréhension pour ajuster et reprendre le processus.
	- Réévaluer la raison d'être de l'équipe.
	- Déterminer le fonctionnement et la prise de décision par rapport à cette nouvelle information.

La réunion d'équipe

6.1 Qu'est-ce qu'une réunion d'équipe?

« Par définition, une réunion est le rassemblement d'un certain nombre de personnes ayant en commun le souci d'atteindre un certain objectif[3]. »

6.2 Pourquoi faire des réunions d'équipe?

6.2.1 Un outil de stratégie et d'innovation

Vous mettez sur pied des équipes? Il faut prendre le temps nécessaire pour que les membres se rencontrent afin de mieux se connaître, de communiquer ou d'étudier un problème. Lorsque l'on met en place plusieurs équipes de travail au sein d'une entreprise, il est fréquent qu'un membre d'une équipe participe à la réunion d'une autre équipe pour établir des liens et retransmettre de l'information par la suite.

---

3   Réf. DEMORY, Bernard, Comment animer les réunions de travail en 60 questions, éditions Agence d'Arc, 1987, p. 25.

Ainsi, les coachs se réunissent entre eux, puis tiennent des réunions avec leur propre équipe. Bref, la réunion est un outil fort important pour le bon fonctionnement d'une équipe de travail.

Puisque le coach doit orienter des travailleurs individualistes vers le fonctionnement en équipe, cette démarche passe inévitablement par la découverte de nouvelles façons de faire. Ces nouvelles façons de travailler se déterminent en groupe et la réunion d'équipe est le moyen privilégié pour ce faire. En conséquence, des changements s'effectuent en ce qui concerne les attitudes des coéquipiers et leurs façons de travailler.

Durant vos réunions, si vous omettez d'installer dès le départ la discipline et des règles de fonctionnement claires, vous obtiendrez tous les éléments provocateurs de la « réunionnite » et vos résultats s'opposeront à vos intentions de départ. Partez du bon pied !

Pour qu'une réunion serve bien ses participants, vous devez ressentir, à la fin, qu'elle a été efficace et qu'elle apporte quelque chose de plus à tous les participants. Elle doit aider les individus à améliorer leur rendement individuel et à alimenter positivement les liens d'équipe.

La réunion d'équipe est une activité stratégique importante pour l'évolution et l'efficacité d'une équipe de travail.

6.3 Quelques conseils pour qu'une réunion d'équipe soit efficace

6.3.1 Avant chaque réunion

- S'assurer que :

    - tous les participants ont reçu l'ordre du jour ;

- le but de la réunion est clairement défini, à savoir, informer, consulter et prendre une décision ;

- les tâches à accomplir sont claires pour tout le monde ;

- tous les points importants sont inscrits à l'ordre du jour.

• Préparer la rencontre en fonction des références et des éléments mentionnés à l'ordre du jour de la rencontre.

• Préciser dans l'ordre du jour s'il s'agit de points d'information (I), de consultation (C) ou de décision (D).

• Arriver à l'heure.

6.3.2 Au début de la réunion

• Situer l'équipe par rapport au programme qu'elle s'était fixé durant la dernière réunion.

• Formuler à voix haute l'objectif de la réunion et le contenu de l'ordre du jour.

• Demander si l'information donnée est claire et si tous les participants ont compris.

• S'assurer que tous les participants sont présents et motivés : pas de téléphone, de radiomessageur ou de cellulaire ouvert.

6.3.3 Pendant la réunion

• S'exprimer clairement et ouvertement si l'on a une opinion à émettre.

• Respecter l'ordre du jour et aider les autres à le faire.

• Si l'on ne comprend pas quelque chose, demander des explications.

- Être actif : ne pas hésiter à dire ce que l'on a à dire.

- Prendre la responsabilité de faire progresser la participation de chaque personne.

- Respecter le droit de chacun à exprimer son opinion ou ses sentiments.

- Écouter attentivement les autres.

- Éviter les commentaires perturbateurs.

- Prendre des notes.

- En toute occasion, se dire : que puis-je faire d'utile pour l'équipe ?

- S'adresser le plus possible à l'ensemble du groupe plutôt qu'à une seule personne.

- Promener son regard le plus souvent possible sur l'ensemble du groupe, afin de bien faire comprendre que l'attention est accordée à chacun des membres du groupe.

- Tenir compte des expressions non verbales des autres (gestes, mimiques, posture, voix, etc.).

- Trouver un ou des correctifs constructifs pour améliorer, si nécessaire, le fonctionnement du groupe.

- Demander que le groupe observe une ou plusieurs pauses au cours de la réunion selon la durée prévue de la rencontre.

- S'assurer que la consigne quant à la durée de la réunion est respectée.

- Limiter les interventions non pertinentes.

6.3.4 Durant les prises de décision

- Formuler à voix haute le sujet pour lequel une décision doit être prise.

- Demander si l'information donnée est claire et si tous les membres ont bien compris.

1. Exposé de l'objet de décision

2. Collecte des opinions

3. Discussion

4. Prise de décision

- Se limiter aux questions de clarification durant la collecte des opinions.

- Demander à ceux qui ne se sont pas exprimés de prendre position.

- Vérifier si, compte tenu du groupe et de la situation, les « perdants » seraient prêts à se rallier à un vote majoritaire (sinon, essayer de comprendre pourquoi plutôt que de convaincre).

- Appliquer le processus de prise de décision et annoncer le résultat.

6.3.5   La fin de la réunion

- Faire le point avant de terminer. Souligner les décisions prises et les autres points positifs de la réunion.

- Déterminer les principaux points à traiter durant la prochaine réunion.

- Demander et organiser une évaluation du fonctionnement du groupe.

- Vérifier si l'attribution des rôles convient toujours aux membres.

6.3.6   Après la réunion

- Mettre à exécution les tâches qui ont été assignées.

- Ne pas se plaindre d'une décision prise à laquelle on a donné son accord.

- Demeurer engagé dans la décision d'équipe.

- Faire un compte rendu afin de conserver l'historique des discussions, des décisions et de l'évolution d'une situation. Ne vous perdez pas en verbiage. Répondez tout simplement aux besoins des personnes qui liront ce compte rendu.

- Noter les points à inscrire au prochain ordre du jour et en informer le ou la responsable.

Quelques recettes

Certains chefs ratoureux ont l'habitude de tenir leurs réunions le vendredi, sachant que c'est le temps propice pour faire passer leurs idées et imposer leurs choix. Tout le monde rêve de partir tôt et craint le prolongement de la session. «Surtout, pas de questions!»

Dans le même style, des managers ont systématiquement institué la réunion qui débute à 11 h, comptant sur la faim des participants pour qu'elle prenne fin avant 13 h. Même stratégie pour la réunion qui débute à 16 h.

Tout le monde connaît ou devine ces trucs astucieux, et les victimes réagissent habituellement par le silence ou la subtile obstruction qui fait que chacun y perd son temps.

Il y a aussi la contrepartie, soit des membres qui étirent la discussion pour faire perdre le temps de tous ou encore pour paralyser le processus décisionnel.

En observant certaines équipes, nous avons relevé des façons de faire particulièrement efficaces :

- une réunion par semaine, la plupart du temps le mardi en matinée ;
- un ordre du jour réaliste est envoyé au préalable aux membres ;
- les décisions et les noms des responsables de leur exécution sont notés ;
- tous les membres concernés par le sujet ont préparé leur contribution ;
- le climat de bonne humeur ne cède rien au stress malsain ;
- les désaccords se règlent sur-le-champ ou sont reportés s'ils ne concernent pas le groupe ;
- chaque membre dispose de son dossier de travail ;
- une discipline rigoureuse est la règle d'or ;
- aucun dérangement n'est toléré durant la rencontre ;
- la rencontre débute et se termine à l'heure convenue ;
- les absents font connaître leurs raisons au responsable ;
- un membre a le mandat de les informer du contenu de la discussion.

Rémy Gagné
Jean-Louis Langevin
Donnez du pep à vos réunions

L'évaluation de la participation individuelle

La grille pour les membres de l'équipe

Ce questionnaire se veut un outil d'auto-évaluation pour que chaque membre d'une équipe évalue la qualité de sa participation à une réunion de groupe.

Directive : À la fin de la réunion, chaque membre de l'équipe remplit le questionnaire. Puis, on fait un tour de table pour obtenir les réponses de tous les membres et on établit un bilan synthèse des résultats. La priorité de l'action sera mise sur les réponses ayant reçu majoritairement les cotes de 1 à 5.

Date de la réunion :

Dans le but d'évaluer la qualité de votre participation à la réunion, à quel degré pensez-vous avoir :

	Peu								Beaucoup
1. stimulé et orienté le groupe ?	1	2	3	4	5	6	7	8	9
2. défendu vos idées ?	1	2	3	4	5	6	7	8	9
3. écouté et compris les autres ?	1	2	3	4	5	6	7	8	9
4. fait des commentaires sur la démarche du groupe ?	1	2	3	4	5	6	7	8	9

	Peu							Beaucoup	
5. été attentif aux besoins des autres?	1	2	3	4	5	6	7	8	9
6. respecté les autres quand ils parlaient?	1	2	3	4	5	6	7	8	9
7. fait des suggestions et proposé des idées nouvelles?	1	2	3	4	5	6	7	8	9
8. dirigé les autres?	1	2	3	4	5	6	7	8	9
9. exprimé vos réactions personnelles à ce qui se passe?	1	2	3	4	5	6	7	8	9
10. réussi à mettre vos valeurs en évidence?	1	2	3	4	5	6	7	8	9
11. encouragé et facilité la participation des autres?	1	2	3	4	5	6	7	8	9
12. respecté l'avis de la majorité?	1	2	3	4	5	6	7	8	9
13. concilié les différences entre les membres du groupe?	1	2	3	4	5	6	7	8	9
14. suscité des discussions constructives?	1	2	3	4	5	6	7	8	9
15. résumé et établi des liens entre les idées émises?	1	2	3	4	5	6	7	8	9
16. fait des compromis?	1	2	3	4	5	6	7	8	9
17. fait un effort pour respecter l'horaire de travail?	1	2	3	4	5	6	7	8	9
18. été apprécié par le groupe et utile à ce dernier?	1	2	3	4	5	6	7	8	9

Interprétation

Un animateur fait un tour de table pour que chaque participant exprime son appréciation personnelle. Par la suite, l'animateur invite l'équipe à discuter de ce qui a été émis. L'animateur termine en encourageant les participants à s'investir pour améliorer, à la prochaine réunion, les points le plus souvent cotés de **1** à **5** sur la grille. Il est possible que le coach et les membres considèrent que ces éléments cotés faibles signifient un besoin de formation.

Conclusion

N ous osons espérer que l'information que nous venons de vous présenter vous éclaire et vous donne la motivation pour plonger dans la mise en place d'un programme de coaching. Nous souhaitons que cet ouvrage vous incite à implanter des équipes dans votre organisation ou à devenir un meilleur coach. N'oubliez pas de vous donner le temps de réussir !

Le coaching n'est pas une panacée ni la solution parfaite à tous les problèmes. Le coaching ne peut s'implanter qu'en passant par plusieurs phases d'évolution au cours desquelles vous ferez inévitablement face à des embûches et à des irritants. Ces difficultés peuvent prendre des aspects différents tels que les suivants :

- Une vision imprécise

- Des objectifs mal définis ou irréalistes

- La résistance des gestionnaires

- La résistance des employés

- Des conflits de personnalité

- Des luttes de pouvoir

- La baisse temporaire de la productivité (période d'implantation)

- Des sanctions démesurées prises par les pairs pour des comportements jugés par l'équipe comme délinquants

- La résistance syndicale

- L'absence de leadership

- La confrontation des cultures organisationnelles

- Des difficultés dans la recherche de solutions

- Le manque de discipline des participants

Vive le changement !

Les avantages inhérents à l'approche du coaching valent la peine de passer par des embûches. Tout changement entraîne une résistance initiale et le succès des entreprises d'aujourd'hui dépend justement de sa capacité à s'adapter au changement et à gérer la résistance. Si vous adoptez cette perspective, vous découvrirez rapidement toutes les améliorations que le coaching peut apporter à votre organisation.

Voir à long terme

À long terme, le coaching démontre beaucoup plus d'avantages que de désavantages. Il est essentiel que vous intégriez les avantages d'un tel programme à votre vision stratégique. Il s'agit d'une démarche pratique et réaliste qui permettra à votre organisation d'aborder l'avenir dans une perspective de croissance et de durée.

Du plaisir !

Le défi du changement n'apporte pas que des obstacles. Au contraire. Vous aurez du plaisir à implanter cette démarche chez vous. Vous avez l'occasion d'entreprendre une action qui se fait en partenariat. Cela vous donne la chance de démontrer à vos gens que c'est pour eux et avec eux que vous le faites. Vous avez entre les mains un des plus beaux projets mobilisateurs qui soient. Profitez-en !

Bibliographie

AUMONT, B. et P.-M. MESNIER. « L'acte d'apprendre », Presses universitaires de France, Paris, 1992, 301 p.

BANDLER, R. et J. GRINDER. *Les secrets de la communication (PNL)*, Éditions Le Jour, collection Actualisation, 1981.

BERNADOU, C. *La gestion des conflits*, Gestion stratégique des ressources humaines, Gaétan Morin éditeur.

BIOLLEY, Gérard. *Mutation du management : pour une dynamique du redéploiement*, Entreprise moderne d'édition, Paris, 1986, 343 p.

BONHAM, A.L. « Using Learning Style Information, Too », p. 29-40, in *Effective Teaching Styles*, Jossey-Bass Inc. Publishers, Oxford, 1989, 100 p.

BURLESON, Clyde W. *Effective Meetings, The Complete Guide*, John Wiley & Sons, 1990.

BUTLER, K. A. *Learning and Teaching Style In Theory and Practice.* Gabriel Systems Inc., Mass, 1986, 281 p.

CAVA, Roberta. *Savoir traiter avec les gens difficiles*, Éditions Quebecor, Montréal, 1990.

COLLERETTE, Delisle. *Le changement planifié*, Agence d'Arc, 1986, 213 p.

CONNER, Daryle R., et Robert W. PATTERSON. *Building Commitment to Organizational Change*, O.D. Resources Press, Atlanta, 1981.

CÔTÉ, N. *La personne dans le monde du travail*, Gaëtan Morin éditeur, 1991.

DOLAN ET LAMOUREUX. *Initiation à la psychologie du travail*, Gaétan Morin éditeur, 1990.

DOLAN Shimon, Randall S. SCHULER et Lise CHRÉTIEN. *Gestion des ressources humaines*, Éditions du Trécarré et Éditions Reynald Goulet inc., 1988.

DORÉ, F.D. et P. MERCIER. *Les fondements de l'apprentissage et de la cognition.* Gaëtan Morin éditeur, Québec, 1992, 496 p.

DROLET, Muriel. *Communication efficace*, Direction générale de l'éducation des adultes, ministère de l'Éducation du Québec, janvier 1986.

GAGNÉ, Rémy et Jean-Louis LANGEVIN. *Donnez du pep à vos réunions*, Éditions Transcontinental, Montréal 1995, 128 p.

GINGRAS, M. et D. MORISSETTE. *Enseigner des attitudes*, Les Presses de l'Université Laval, 1989, 198 p.

HELLRIEGEL, SLOCUM et WOODMAN. *Management des organisations*, Éditions De Boeck, Université de Bruxelles, 1993.

JOHNSON, D. *Les relations humaines dans le monde du travail*, Éditions du Renouveau pédagogique, Montréal, 1988.

KINLAW, Dennis. C. *Adieu patron, bonjour coach*, Éditions Transcontinental, Montréal, 1997, 200 p.

LE GROUPE CFC. *Outils de gestion*, Guide pratique de management, 1993.

LEMAÎTRE, Pierre. *Des méthodes efficaces pour trouver des solutions : Comment trouver des solutions, décider, réaliser et contrôler les changements*, Chotard, Paris, 1985, 267 p.

MEUNIER, Pierre-Marc. *100 % tonus*, Éditions Transcontinental, Montréal, 1995, 192 p.

MINTZBERG, Henry. *Grandeur et décadence de la planification stratégique*, Éditions Dunod, Paris, 1994.

PAPALIA, D. E. et S. W. OLDS. *Le développement de la personne*, 3ᵉ édition, Éditions Études vivantes, Montréal, 1989.

PETIT, BÉLANGER, BENABOU, FOUCHER et BERGERON, *Gestion stratégique et opérationnelle des ressources humaines*, éditions Gaëtan Morin, Montréal, 1993.

ROBBINS, Anthony. *Pouvoir illimité*, Éditions Laffont, Paris, 1989.

RONDEAU, Alain et François BOULARD. « *Gérer des employés qui font problème, une habileté à développer* », Revue Gestion, février 1992.

SÉRIEYX, Hervé. *Mobiliser l'intelligence de l'entreprise*, TME, 1989.

TOFFLER, Alvin et HEEDI. *Guerre et contre-guerre*, Éditions Fayard, Paris, 1994.

Annexe

Le plan de formation du coach

Puisque le coaching s'instaure dans les stratégies de croissance de la main-d'œuvre et que la formation en est un outil puissant, nous vous rappelons l'importance d'investir dans la formation de vos coachs. Nous ne naissons pas coach, nous le devenons.

Pour vous aider à établir un plan de formation à l'intention de vos nouveaux coachs, nous vous proposons un programme de formation comme modèle de départ. Ce programme a été conçu à partir des différents rôles du coach et sont présentés par module distinctif.

À partir des différents questionnaires contenus dans ce livre, vous serez en mesure de traduire vos résultats en objectifs d'apprentissage et d'adapter vos besoins de formation à vos réalités professionnels.

*Le programme de formation
à l'intention des coachs en entreprise*

**Module 1
L'introduction au coaching en entreprise**
Durée : 1 jour

- Ce qu'est le coaching

- Rôles, responsabilités et comportement du coach
  au sein de l'entreprise

- Forces et avantages de la mise en place d'une équipe de travail

- Avantages pour l'entreprise d'implanter une approche
  en coaching

- Évaluation de son intérêt personnel à être coach

- Profil de compétence du coach pour notre entreprise

**Module 2
Le rôle de communicateur**
Durée : 5 jours

- Communication au travail (2 jours)

  - Autodiagnostic de son potentiel

  - Présentation d'outils utiles pour communiquer correctement
    avec l'équipe de travail

- Interrelations professionnelles dans une équipe de travail
  (1 jour)

  - Connaissance des facteurs qui influent sur les relations
    professionnelles et la mise en œuvre d'habiletés pour
    intervenir adéquatement

- Règles à suivre pour le maintien d'un bon climat de travail

- Leadership et motivation d'équipe (2 jours)

  - Autodiagnostic de son style de leadership

  - Reconnaissance des différents styles de leadership et élaboration des stratégies motivantes pour les membres d'une équipe

Module 3
Le rôle de facilitateur
Durée : 6 jours

- Mobilisation d'équipe de travail (3 jours)

  - Autodiagnostic de ses actions mobilisatrices

  - À quoi sert la mobilisation ?

  - Comment faire pour mobiliser son monde ?

  - Stratégies et plan de mobilisation

- Animation et conduite de réunion (2 jours)

  - Autodiagnostic de son style d'animation

  - Importance des réunions et façons de faire pour qu'elles soient efficaces et productives

- Comment déléguer (1 jour)

  - À quoi sert la délégation ?

  - Règles à suivre pour bien déléguer

Module 4
Le rôle de formateur
Durée : 3 jours

- Gestion des employés difficiles (1 jour)

  - Études des composantes d'un employé difficile et de son comportement et façons de faire pour les encadrer

  - Règles à suivre pour gérer un dossier d'employé difficile

- Résolution de problème et prise de décision (2 jours)

  - Démystification d'un problème, présentation de stratégies efficaces de prise de décision

  - Accompagnement d'une équipe en résolution de problèmes

  - Autodiagnostic de son approche en résolution de problèmes

Module
Le rôle de guide
Durée : 4 jours

- Gestion des conflits au travail (2 jours)

  - Analyse des sources de conflit d'équipe et façons de les régler

  - Règles à suivre pour intervenir correctement

- Gestion du temps et des priorités (2 jours)

  - Autodiagnostic de ses habiletés sur le plan de la gestion du temps et des priorités

  - Connaissance des éléments de base de la gestion du temps et des priorités

  - Élaboration du plan d'action pour accroître son efficacité

Module 6
Le rôle d'évaluateur
Durée : 2 jours

- Gestion de projet d'équipe

    - Présentation des principes de la gestion d'un projet d'équipe
    - Énumération des habiletés nécessaires à la gestion et à l'évaluation d'un projet

Module 7
L'organisation apprenante
(Important pour les décideurs et les coachs de coachs)

Durée : 1 jour

- Caractéristiques d'une organisation apprenante

- Liens distinctifs de l'organisation apprenante comparée à l'organisation traditionnelle

- Autodiagnostic de la capacité de changement de votre organisation

Module 8
La postformation - suivi
Durée : 1 jour

- Travail d'intégration des apprentissages réalisés à la suite des cours

- Suivi à la formation et évaluation des résultats d'apprentissage appliqués à la réalité quotidienne

Le coaching individuel pour le coach

N'oubliez pas que vos coachs sont aussi vos employés et qu'à certains moments ils ont besoin d'être soutenus à leur tour. Pensez à prévoir des ressources, soit d'un coach de coach, soit d'un conseiller en ressources humaines de votre organisation ou soit d'un consultant externe affecté au **coaching de vos coachs**. Ce rôle-conseil s'exerce sous forme de rencontres individuelles, d'une durée et d'une fréquence fixées à partir des besoins et de la disponibilité des coachs. Ceci se fait à partir des réalités opérationnelles vécues par le coach dans l'exercice de ses fonctions auprès de son équipe. Ces rencontres peuvent avoir lieu à l'extérieur du milieu de travail afin de garantir la confidentialité et éviter que la présence du conseiller influe directement sur le leadership du coach auprès de son équipe, et ce, afin de protéger la zone d'intervention du coach auprès de son équipe en situation de questionnement.

Pour plus de détails, n'hésitez pas à communiquer avec l'auteure de cet ouvrage :

Muriel Drolet
Drolet Douville et associés
1245, ch. Sainte-Foy, bureau 344
Québec (Québec) G1S 4P2
Téléphone :   (418) 681-6007, sans frais 1 800 966-1212
Télécopieur :   (418) 681-7078
Internet :   douville@globetrotter.net
                www.drolet-douville.com

COLLECTION ENTREPRENDRE

J'ouvre mon commerce de détail
24 activités destinées à mettre toutes les chances de votre côté
Alain Samson

29,95 $
240 pages, 1996

Communiquez ! Négociez ! Vendez !
Votre succès en dépend
Alain Samson

24,95 $
276 pages, 1996

La PME dans tous ses états
Gérer les crises de l'entreprise
Monique Dubuc et Pierre Levasseur

21,95 $
156 pages, 1996

La gestion par consentement
Une nouvelle façon de partager le pouvoir
Gilles Charest

21,95 $
176 pages, 1996

La formation en entreprise
Un gage de performance
André Chamberland

21,95 $
152 pages, 1995

Profession : vendeur
Vendez plus... et mieux !
Jacques Lalande

19,95 $
140 pages, 1995

Virage local
Des initiatives pour relever le défi de l'emploi
Anne Fortin et Paul Prévost

24,95 $
275 pages, 1995

Comment gérer son fonds de roulement
Pour maximiser sa rentabilité
Régis Fortin

24,95 $
186 pages, 1995

Des marchés à conquérir
Chine, Hong Kong, Taiwan et Singapour
Pierre R. Turcotte

29,95 $
300 pages, 1995

De l'idée à l'entreprise
La République du thé
Mel Ziegler, Patricia Ziegler et Bill Rosenzweig

29,95 $
364 pages, 1995

Entreprendre par le jeu
Un laboratoire pour l'entrepreneur en herbe
Pierre Corbeil

19,95 $
160 pages, 1995

Donnez du PEP à vos réunions
Pour une équipe performante
Rémy Gagné et Jean-Louis Langevin

19,95 $
128 pages, 1995

Marketing gagnant
Pour petit budget
Marc Chiasson

24,95 $
192 pages, 1995

Faites sonner la caisse !!!
Trucs et techniques pour la vente au détail
Alain Samson

24,95 $
216 pages, 199

En affaires à la maison
Le patron, c'est vous !
Yvan Dubuc et Brigitte Van Coillie-Tremblay

26,95 $
344 pages, 199

Le marketing et la PME
L'option gagnante
Serge Carrier

29,95 $
346 pages, 199

Développement économique
Clé de l'autonomie locale
Sous la direction de Marc-Urbain Proulx

29,95 $
368 pages, 199

Votre PME et le droit (2e édition)
*Enr. ou inc., raison sociale, marque de commerce
et le nouveau Code Civil*
Michel A. Solis

19,95 $
136 pages, 199

Mettre de l'ordre dans l'entreprise familiale
La relation famille et entreprise
Yvon G. Perreault

19,95 $
128 pages, 199

Pour des PME de classe mondiale
Recours à de nouvelles technologies
Sous la direction de Pierre-André Julien

29,95 $
256 pages, 199

Famille en affaires
Pour en finir avec les chicanes
Alain Samson en collaboration avec Paul Dell'Aniello

24,95 $
192 pages, 199

Profession : entrepreneur
Avez-vous le profil de l'emploi ?
Yvon Gasse et Aline D'Amours

19,95 $
140 pages, 199

Entrepreneurship et développement local
Quand la population se prend en main
Paul Prévost

24,95 $
200 pages, 199

L'entreprise familiale (2e édition)
La relève, ça se prépare !
Yvon G. Perreault

24,95 $
292 pages, 199

Le crédit en entreprise
Pour une gestion efficace et dynamique
Pierre A. Douville

19,95 $
140 pages, 199

La passion du client
Viser l'excellence du service
Yvan Dubuc

24,95 $
210 pages, 199